Ronald Giphart (1965) debuteerde in 1992 met de roman *Ik ook van jou*, die werd bekroond met het Gouden Ezelsoor voor het best verkochte debuut. Daarna schreef hij de veelgeprezen roman *Giph* (1993). Zijn 'grote queeste naar literatuur en seks' werd vervolgd met de bundel verhalen en columns *Het feest der liefde*. Gipharts nieuwste roman is *Phileine zegt sorry* (1996).

Ronald Giphart

Het feest der liefde

Rainbow Pocketboeken

Rainbow Pocketboeken® worden uitgegeven door
Uitgeverij Maarten Muntinga bv, Amsterdam

Uitgave in samenwerking met
Uitgeverij Podium, Amsterdam

Omslagontwerp: Ron van Roon
Foto voorzijde omslag: © Kato Tan
Foto op pag. 43: Tono Stano
Foto achterzijde omslag: Chris van Houts
Typografische verzorging: Studio Cursief, Amsterdam
Zetwerk: Stand By, Nieuwegein
Druk: Ebner Ulm
Uitgave in Rainbow Pocketboeken januari 1998
Vijfde druk augustus 1999

ISBN 90 417 0087 0 NUGI 300

Opgedragen aan mijn moeder

Inhoud

Na het schallen van trompetten

Het feest der liefde

Meeschrijvend met de wonderbaarlijke wederwaardigheden uit mijn verbijsterende leven, ben ik aangekomen bij de dag dat een paar duizend mede-nuldejaarsstudenten en ik op een enorm kerkplein werden ontboden voor de introductiedagen van de stad en de universiteit. Het was er fascinerend gezellig. Overal stonden metershoge borden van biermerken (studeren is bier), sigarettemerken (studeren is roken) en een condoommerk (studeren is veilig). In die tijd, de vroege middeleeuwen, was ik nog beklagenswaardig groen en onervaren en links opgevoed. Ik was negentien, maar *lovewise* had ik in mijn leven niet meer meegemaakt dan dat ik op zo'n beetje ieder meisje dat ik kende erg verliefd was geweest. Slechts het meisje dat ik 'de allerleukste lellebel van de hele wereld' noemde had deze liefde beantwoord, zij het precies één keer, toen ze na een droevig eindexamenfeest om onbegrijpelijke redenen *mij* had gezoend, in plaats van de stoere drinkebroers en vechtersbazen die ze gewoonlijk in haar mond toeliet.

Ik weet niet wat ik verwachtte van de introductieweek, maar wel dat alles anders zou worden. Bij de ingang van de kerk kregen alle nuldejaars een nummer (op een papiertje), en na enkele overbodige toespraken van de burgemeester, de rector magnificus en andere hotemetoten, moesten we op het plein de begeleider zoeken die met ons nummer correspondeerde. Voor de hoofdingang van de kerk vond ik mijn mentor: een dikke jongen van een jaar of achtentwintig, die zuchtend geleund stond tegen een beeld van een meisje. Ieder nieuw studentekind dat zich bij hem aanmeldde, begroette hij met de woorden: 'Hallo, ruw diamantje.' Toen de groep compleet was, stelde hij zich voor als Justus te Dussinkloo. Nog nooit had ik iemand ontmoet die Justus heette en nog nooit had ik een jongen gezien als hij. Ik kende kakkers en ik kende zwervers, maar ik wist niet dat daar een combinatie van te maken was. Justus had een driedelig pak aan dat opgegraven leek, zijn haar zat plakkerig op zijn hoofd, maar zijn brilletje was goudkleurig NRC en hij droeg dure schoenen.

Ons introductiegroepje bestond uit vier jongens en drie meisjes, qua type variërend van misantropisch postpunk tot uitgelaten ascetisch (dat was ik). We wachtten aarzelend op de duistere dingen die gingen komen. Justus zuchtte voortdurend, ging plotseling wijdbeens voor ons staan en zei: 'Jongens, het is deze week mijn taak voor jullie het concept student te visualiseren. Dat is belangrijk. Anders lopen jullie hier maar verloren in deze enge grote stad. Kennen jullie dat onderzoek van dat baby-aapje dat zonder moeder wordt grootgebracht? Een tragisch verhaal. Als die aap eenmaal zelf kinderen heeft, is ze niet in staat hen met liefde op te voeden. Ze behandelt haar kinderen ruw, omdat ze nooit geleerd heeft zacht te zijn. Weten jullie, jongens, die baby-aapjes... Dat zijn jullie.'

We keken verbaasd.

'Als jullie niet oppassen, worden jullie namelijk net zo ruw en harteloos,' ging Justus verder en hij spreidde zijn armen, 'maar het is nog niet te laat.'

'Het is nog niet te laat!' zei hij nog een keer, veel harder, waarna hij ons allemaal tegelijk probeerde te omhelzen en beet te pakken. Hij liet hierbij een luide rollach horen. In ons gezelschap werd schrikachtig gereageerd. Justus maakte wilde sprongen om ons heen.

'Ik ben jullie moeder!' schreeuwde hij onverdroten. 'Ik ben er, hoor, studentekindertjes! Ik ben er voor jullie. Ik ben jullie moedertje!'

Toen brak hij zijn gebrul abrupt af.

'Zo, de sfeer zit erin,' zuchtte hij. 'Laten we gaan.'

Hij draaide zich om en liep in de richting van de binnenstad. Met zijn zevenen volgden we hem, verwonderd, geamuseerd en gedwee.

Justus stopte bij een groot pand in een straatje dat hedentendage volledig is afgebroken en gerenoveerd.

'Truffelstudenten, houd halt!' riep hij, een mislukte poging ondernemend een soort pirouette te maken. Nog nooit had ik een huis gezien als dat waarvoor Justus stopte. Ik kende statige herenpanden en ik kende krotten, maar ik wist niet dat daar een combinatie van te maken was.

'We kunnen natuurlijk in een kroeg gaan zitten om daar onder het genot van een paar honderd biertjes de merites en mores van het onverbloemde studentenleven door te nemen, maar zulks is mij helaas door de mentorenorganisatie verboden,' begon Justus, steunend tegen een dik zuiltje voor het oude gebouw. 'De harteloze bureaucraten van de introductieleiding vinden namelijk dat ik jullie moet inwijden in alle facetten van het leven dat jullie de komende vier tot twaalf jaar gaan leiden. Gezellig verpozen en erudiete eloquentia in het café zijn daar inderdaad een onderdeel van, maar studeren schijnt met meer van doen te hebben. En daar komt bij dat ze me ook bevolen hebben een dertigtal "introductiespelletjes" met jullie te spelen, gevaarlijke experimenten om elkaar beter te leren kennen. Nu ben ik tot veel vernederingen in staat, maar ik ga niet in een kroeg, waar nota bene *iedereen ons kan zien*, de beschaving een kunstje zitten flikken. Dat begrijpen jullie toch zeker attenoie ook wel?'

Ik vermoed dat we dat allemaal begrepen, maar niemand liet dat blijken.

'Goed. Welnu, laten we die spelletjes dan maar spelen in het pand hier achter mij, dan hebben jullie meteen een studentenhuis van binnen gezien. Dat kan ook geen kwaad voor jullie geestelijke ontwikkeling, dunkt mij. Voor we het betreden, wil ik jullie echter eerst vertellen dat het pand getooid is met de enigszins precaire naam Het Achterhuis. Precair, vanwege de gebeurtenissen in de Tweede Wereldoorlog, en ik hoef jullie niet te vertellen wat daarin allemaal gebeurd is. Of wel soms? Toch moeten jullie weten dat dit pand achter mij de naam Het Achterhuis al draagt sinds 1919, en mijn vraag aan jullie is: wie is er nu eigenlijk mee begonnen met een woning "Het Achterhuis" te noemen? Nou? Wie heeft hier nu eigenlijk de eerste rechten?'

Er werd in onze groep voorzichtig gelachen, hoewel een jongen met gaten in zijn groene legerjas Justus verwijtend aankeek. Justus negeerde diens blik en spraakwatervalde onverstoorbaar verder.

'Oké, ik zou graag willen dat de dames even wat dichterbij kwamen,' gebood hij, de drie meisjes van onze groep bij zich wenkend. 'Meiden, kom eens bij jullie nieuwe vriendin. Even onder mekaar. Even bijpraten.'

Aarzelend schuifelden de meisjes wat naar Justus toe.

'Jullie zijn natuurlijk allemaal nog vreselijk jong en onbedorven,' begon hij (met iets zachtere stem, maar nog wel zo dat de jongens het ook konden horen), 'en natuurlijk komen jullie uit hele goede en nette gezinnen, en vinden jullie jezelf al heel volwassen, en hebben jullie over alles onmiddellijk jullie grappige meisjesmeninkjes klaar, en dat soort dingen, maar ik wil jullie van tevoren toch even waarschuwen. Ik bedoel: schrik niet van de weerzinwekkende en afschuwelijke dingen die jullie weldra zullen zien.'

Hij zweeg even.

'Jullie gaan namelijk zo dadelijk...'

Justus zuchtte diep, schudde zijn hoofd en hapte naar adem.

'Jullie gaan namelijk zo dadelijk een *jongenshuis* betreden.'

Bezorgd wachtte Justus af hoe de meisjes hierop zouden reageren, maar die keken hem afwachtend en uitdrukkingsloos (ja zelfs een beetje onbenullig) aan.

'Beseffen jullie dan niet wat dat betekent?' schreeuwde Justus verontwaardigd, 'beseffen jullie dat dan niet?'

Ik denk niet dat de meisjes het beseften, en de jongens van ons groepje trouwens ook niet. Kant heeft ooit eens gezegd dat mensen niet zozeer moeite hebben zich voor te stellen wat zich binnen het universum bevindt, als wel met wat daarbuiten moet zijn. Zo was het ook een beetje toen Justus ons de gang van Het

Achterhuis binnentroonde. Ik volgde hem schuchter (mezelf langs een fietskerkhof wringend), en betrad voor het eerst van mijn leven een interieur waarvan ik niet had kunnen bedenken dat het überhaupt kon bestaan. Ik bedoel: ik kwam uit een rijtjeshuis in een nieuwbouwwijk, en ik had ouders die 's avonds natelden hoeveel mini-marsjes mijn zusje en ik na school hadden gesnoept, ouders die het ons verboden op het badkamertoilet te groteboodschappen omdat dat zo naar rook als iemand wilde doesjen, ouders die zich al opwonden als de televisiegids een paar centimeter van zijn vaste plek lag. En uit dat universum van beschaafde, hardwerkende, verantwoordelijke trouwe-belastingbetalers stond ik plotseling in een onvoorstelbaar uitgeleefde ruimte vol bierkratten, lege wijnflessen, straatnaam- en verkeersborden, en duizenden andere aftandse voorwerpen. Wij, onschuldige nuldejaars, zagen keukens die een combinatie waren van de binnenkant van een glasbak, een biocontainer en een vuilnisbak; de verlichting op de enorme gangen van het huis bestond louter uit eenzame peertjes aan zielige draadjes; aan de wanden hingen werkelijk smerige telefoons waarnaast al even smerige 'tikkerboekjes' bungelden; overal lagen bergen sigarettepeuken en stofrag; in het hele huis stonk het naar zweet, tabak, beschimmeld bier en oude meubelen; en waar de muren niet door kranteknipsels en obscene posters waren bedekt, stond smoezelige graffiti met teksten als: 'Fututa sum hic, Casper Berkhouts 4 mei 1984', 'Ik kan mijn haar wassen met mijn bril op', 'Bertrand is niet beïnvloedbaar door religieuze leiders, maar wel door eileiders', 'Vrouwen moeten hun mond houden en met hun benen wijd de afwas doen', 'Amsterdarmkanaal, here we come!', 'Huisgenoten, hoe weet je of karnemelk zuur is?' en 'Mijn afstandbediening vind ik eigenlijk een nog leuker apparaat dan m'n lul'.

'Huppelkinderen, welkom in de wonderbaarlijke wereld die studentenhuis heet,' zei Justus, toen hij de verbazing, afschuw en fascinatie op onze gezichten zag. 'En wacht maar tot jullie mijn kamer hebben gezien!'

Bezaaid met bierflesjes, overvolle asbakken, opengevouwen kranten en lege zoutjeszakken, was zijn kamer inderdaad net een graadje erger dan de gangen en de keukens. De decoratie: drie uitgegraven verkeerszuilen, een mededelingenbord van de Nederlandse Spoorwegen, posters van The Beach Boys en Frank Sinatra, een paar dode planten en aan de muur een half toilet, inclusief bril en klep.

Justus liep naar een luie stoel, grabbelde de kleren die daar lagen bij elkaar en wierp ze op een grote hoop onder zijn hoogslaper. Voor hij zich in de fauteuil liet vallen, zei hij: 'Jongens, doe die rugbochels af en ga nou eindelijk eens zitten!' Eerst wisten we niet zo goed waar dat zou moeten, maar Justus zei: 'Niet zo zeiken, gewoon even de troep aan de kant schuiven.' Toen een meisje met haar rugtas per ongeluk een bierflesje omstootte en zich niet verontschuldigde, riep hij: 'Hola, heb jij nu werkelijk geen fatsoen in je donder?'

Iemand vroeg waarom er een half toilet aan zijn muur hing. Dit was de juiste vraag op het juiste moment. Justus zocht een lekkere zithouding en antwoordde dat die pot een trofee was van een uit de hand gelopen partijtje bij een meisjesstudentenhuis in Amsterdam.

'Nu denken jullie natuurlijk dat een jongenshuis een klein beetje een bende is, maar dan hebben jullie nog nooit een meisjeshuis gezien. God bewaar me, die zijn pas echt erg. Ik wilde op dat feest in Amsterdam mijn sluitspieren ietwat ontspannen en dus zocht ik een toilet. Ik bedoel: ik had als man net zo goed even achter een stereotoren kunnen wateren, maar nee, ik ben een beschaafde intellectueel en dus ging ik naar een toilet. Dat heeft met christelijke normen en waarden te maken, vind ik. Nu moet ik bekennen dat ik het niet zo heb op dames-wc's. Ten eerste al die briefjes met vreemde boodschappen als "Tampons horen niet in de pot" en "Ik krijg nog geld voor twee rollen toiletpapier", maar daarnaast ook de uiterst man-onvriendelijke teksten en knipsels, die hypocriet afgewisseld worden door *Cosmo*-kalenders en andere vieze plaatjes van met zichzelf kampende homoseksuelen. Ik denk dan: als mannen nu werkelijk zo verschrikkelijk zijn, verlustig je dan ook niet aan hen. Mannen zijn toch geen sekssymbolen? Maar goed, ik stond dus op dat toilet en net voordat ik mijn geslachtsdeel ter hand nam om het concept plassen te visualiseren, bedacht ik uiterst altruïstisch: nee Justus, nee, dat doe je niet proper, je moet de bril omhoog doen. Meisjes vinden het niet leuk om opgedroogde urine aan hun genenmixertje te krijgen. Gestreeld door mijn eigen menselijkheid, klapte ik vervolgens met een overwinningsgebaar de bril omhoog, want dames zitten ook graag droog. Even dacht ik dat ik me vergiste, maar het was de harde realiteit: aan de onderkant van de bril zag ik weer zo'n onvervalst staaltje intolerante vrouwenlol. "WAT DOE JIJ HIER?" stond er in vette letters. Wat doe jij hier. Die boodschap kon alleen maar voor een argeloze goedbedoelende jongen zijn. Inderdaad wat doe ik hier, bedacht ik me plotseling woedend. Godverdomme, hier moet iemand een daad stellen! Ik zal namens alle bepielden van de hele wereld dit dameshuis eens een plasje laten ruiken! besloot ik, waarna ik met beide handen de bril beetpakte. "Hier zal nooit meer iemand kunnen zitten," zei ik ferm, en met het oogmerk de bril van de pot te verwijderen, trok ik het toilet in twee bijna gelijke stukken. Oeps, dacht ik, oeps, dat ging mis. Voorzichtig opende ik daarna de deur van het toilet, en ik wenkte mijn dichtstbijzijnde huisgenoot. "We moeten er vandoor," fluisterde ik ijzig kalm, "ik heb de plee kapotgemaakt. Code weggaan." *Code weggaan* betekent "niet lullen, pleite", en dus vroeg mijn huisgenoot niet verder. Terwijl hij onze andere huisgenoten ging zoeken, deed ik in de resterende brokstukken vlug nog even waarvoor ik eigenlijk gekomen was. Toen al mijn huisgenoten een moment later in de gang stonden, legde ik mijn jasje over de bril en het stuk toilet, en zijn we er als een speer vandoor gegaan. Diezelfde nacht hebben we het stuk pot bij wijze van overwinningsritueel aan mijn muur gespijkerd.'

Na dit verhaal diste Justus nog een half uur lang mooie geschiedenissen van zijn studentenhuis op ('het verkeerszuiltjesbevrijdingsfront') tot hij zich met een schok herinnerde wat wij in zijn kamer deden.

'Oh God, we zijn helemaal vergeten ons via stompzinnige spelletjes aan elkaar voor te stellen en te vertellen wat we gaan studeren en waarom,' zei hij ontredderd. 'Godverdomme, als de mentoren-gestapo daar maar niet achter komt.'

Hij wees naar een meisje. 'Jij! Vlug! Vertel op, hoe heet je? Voor het te laat is.'

Het meisje heette Simone, maar ze kreeg aanvankelijk de kans niet te vermelden wat ze ging studeren, want Justus had de beurt alweer aan iemand anders gegeven. We riepen hem gezamenlijk tot de orde. Justus zei: 'O, pardon,' en daarna mochten we eindelijk aan elkaar vertellen over onze toekomstige studies en onze fascinerende levens. Zodra iemand gezegd had wat hij ging studeren, zei Justus steevast: 'Wat ontzettend leuk!' Gevolgd door: 'Jammer dat je dan werkloos wordt.' Zelf was Justus er vrijwel zeker van dat hij ook studeerde, maar in de loop der jaren was hij echter vergeten wat.

'Ik geloof dat het iets te maken had met Sociale-Zekerheidstelselwetenschappen, maar het kan ook iets totaal anders zijn, een vak als biologie of zo. In tegenstelling tot jullie ben ik nog gewoon Oude Stijl-student, dus ik heb nog zeker een jaar of tien om dat eens precies uit te zoeken.'

Na het introductierondje vroeg Justus of we zin hadden om de stad in te gaan en deel te nemen aan het overstelpende aanbod ludieke evenementjes, rondleidinkjes, concertjes, waterfietstochtjes en andere overbodige pleziertjes. Dit had hij beter niet kunnen doen, want er ontstonden in onze prille groep twee kampen. De drie meisjes en de jongen met het kapotte legerjack wilden meedoen aan de festiviteiten op het centrale plein, de drie andere jongens hadden meer zin om naar de kroeg te gaan en met onze mentor te ouwehoeren over het naderende studentenleven. Justus besliste dat vier tegen drie een democratische meerderheid was, dat daar in de oorlog niet voor niets voor was gevochten, en dat we ons derhalve gingen mengen in het 'kuthappen en piksteken'.

We wilden Het Achterhuis verlaten, maar op de

gang naar beneden werd Justus vanuit een keuken geroepen door een paar van zijn huisgenoten. Ze vroegen vrij ongeïnteresseerd wie hij toch bij zich had.

'Mentorkindertjes!' riep Justus zangerig terug, en voor we het wisten, vloog de deur van de keuken open en kwamen er zes boomlange kerels dolenthousiast naar ons toegerend. Met z'n veertienen stonden we plotseling op de gang, zeven argeloze nuldejaars, zes schreeuwende volwassenen en één mentor.

'Justus Christus, echte méntorkindertjes!' riep een van de zes beren, waarna ze allen begonnen te jubelen, ons op onze schouders beukten, en tegen elkaar zeiden: 'Godverdomme, ze worden wel steeds jonger, hè?'

'Oh, deze is lief,' zei een jongen vertederd, een hand op mijn schouder leggend, 'en wat dachten jullie van die daar.'

'Kijk, dit hier heeft nog puistjes, wat ontzettend koddig!'

Uitgelaten werden we beoordeeld en aan alle kanten besnuffeld. Justus stond er ingenomen bij. Een grote vent pakte een van ons zelfs liefdevol beet en riep: 'Jongeman, ik vind je zo charmant dat ik je gewoon even ga optillen!'

Hierna hief hij de jongen van de grond en paradeerde een stukje met hem door de gang. Ook de andere mannen begonnen ons nu beet te pakken en met ons te stoeien. Uiteraard ondergingen wij deze genegenheid timide maar breed glimlachend.

Toen aan al het vrolijke geravot een einde dreigde te komen, zei een van de jongens ferm: 'Te Dussinkloo, we willen ze kopen!' Deze eis werd door Justus' andere huisgenoten onmiddellijk met verve ondersteund. 'We willen ze hebben!' riepen ze door elkaar. 'Ze zijn voor ons!' 'We moeten ze houden!' 'We willen er een voor onszelf!' 'Ik wil er een die kan koken!'

Justus maande hen tot stilte.

'Rustig, jongens, rustig,' zei hij weifelend. Hij zweeg een paar seconden en het was duidelijk dat hij ergens diep over nadacht. Ik vermoedde dat hij een manier zocht ons van deze vrolijke barbaren te verlossen. Hij schraapte zijn keel en zei: 'Vijf kratten bier.'

De meisjes van onze groep giechelden zenuwachtig.

'Twee!' riep een van de huisgenoten.

'Vier,' zei Justus.

Ze gaven elkaar een hand en zeiden tegelijk: 'Drie kratten bier!' Hierna renden enkele mannen naar de keuken om ieder met een krat terug te komen. Ons groepje stond hen apathisch aan te staren. Het ging een beetje snel allemaal. De kratten werden opgestapeld en Justus leunde er verlekkerd tegenaan.

'Sorry kinderen, maar nu zijn jullie van ons. Meneer Te Dussinkloo heeft jullie eerlijk aan ons verkocht,' zei de dikste van het huis tegen ons, en hij strekte zich naar de jongen met de gaten in zijn legerkleding.

'Genoeg gelachen. Ik ga naar mijn kamer en ik neem deze jongeman mee, als jullie het goed vinden,' zei hij tegen zijn huisgenoten, waarna hij de iele legerjongen beetpakte, hem optilde en over zijn schouder meenam in de richting van de trap naar boven.

Ik moest er eigenlijk erg om lachen, net als de anderen van ons groepje. De postpunker vond het echter helemaal niet leuk.

'Zet me onmiddellijk neer!' riep, *nee*, krijste hij, 'laat me onmiddellijk los.'

De wilde noodkreet werd door de mannen met nog meer enthousiasme ontvangen.

'Blijf godverdomme van me af!' schreeuwde de jongen, die nu met wilde armbewegingen op de rug van zijn dikke koper begon te rammen.

'*Ah, playing hard to get, er*!' riep deze vrolijk, en hij liep nog even met de jongen op zijn schouder golvend over de gang, boog vervolgens toch maar door zijn knieën, zette zijn koopwaar op de grond en probeerde ten slotte in de wang van de jongen te knijpen.

'Rustig maar, lieverdje,' zei hij, 'niet zo wanhopig. Het was maar een onschuldig grapje, we meenden het niet echt. Wind je niet zo op. We hebben jullie echt niet gekocht. Heus niet.'

'Godverdomme!' pieperde de jongen met de legerjas helemaal ontdaan, 'dit was pure eigenpijperige intimidatie. Dit was ontvoering. Jullie zijn gewoon een stelletje gore corpsballen, dat is wat jullie zijn! Gewoon vieze vuile kankerballen. Het is een schande. En dat moeten dan rechters en doktoren worden!'

'Allemachtig, het was toch puur een uiting van liefde en genegenheid? We probeerden alleen maar aardig te zijn!' riep een van Justus' huisgenoten vergoelijkend, maar de legerjongen rende woedend naar de kamer van Justus om zijn rugzak te halen. Zwijgend stonden we hem met z'n dertienen na te staren. Justus zuchtte nog het diepst van allemaal. Toen de jongen zijn rugtas had gepakt, vloog hij luid vloekend de trap af. Beneden gilde hij nog heel hard 'gore corpsballen' waarna hij de voordeur loeihard in het slot smeet.

Even was het stil. Justus' huisgenoten liepen op hun tenen, geluidloos giebelend terug naar de keuken. Wij allen keken zwijgend naar Justus, die met zijn hand door zijn haar streek en diep adem haalde. Hij zei, niet gekscherend en serieuzer dan we hem tot nog toe hadden meegemaakt: 'Natuurlijk zijn we gore corpsballen, natuurlijk, maar zijn we dat in wezen dan niet allemaal? Is niet de hele wereld één grote corpsbal?'

Nu de legerjongen ons had verlaten, zaten we ook nog eens met het probleem dat de stemmen staakten. De meisjes wilden leuke dingen doen, en de jongens wilden naar het café. Een van de meisjes (Simone) stelde voor om de groep te splitsen en 's avonds bij een studentenvereniging met elkaar te eten. Wij jongens vonden dit een goed plan, maar Justus zei: 'Ja maar, als de geheime dienst van de introductiecommissie erachter komt dat ik jullie teugels al op de eerste middag heb laten vieren en jullie vrij heb laten rondlopen, dan komen ze me misschien wel in elkaar slaan, want zo zijn ze namelijk.'

Uiteindelijk stemde hij er schoorvoetend mee in. Toen de meisjes weggingen, schoof Justus zijn raam open en galmde hij over de straat: 'Nee, meiden, nee, ik zal het nooit meer doen! Ga niet bij me weg! Ik hou toch van jullie? Dat mag de buurt best weten! Blijf bij mij! Blijf toch bij me.'

Giebelend en hoofdschuddend verdwenen de meisjes uit het zicht. Justus draaide zich naar ons om en verzuchtte: 'Hèhè, alsof het er nooit van zou komen. Eindelijk onder mekaar.'

Hij stak een sigaar op en schonk vier glazen brandy in. Geen van ons had ooit brandy gedronken. Justus zei dat hij zoiets al vermoedde.

'Luister, *little farts,*' begon hij, 'er is een bepaald gebied in de poolstreek waar precies één week per jaar zalmen een rivier omhoog spartelen op zoek naar hun paaigebied. Voor de beren in de omgeving is dat de mooiste week van het seizoen. Zij stellen zich aan de kant van het water op en nooit zo makkelijk als in die periode hebben ze de vissen voor het uitzoeken. Welnu, die poolstreek noemen we het Studentenleven, die week is de Introductie, die zalmen heten Meisjes en die beren, dat zijn Wij.'

Justus hield zijn glas op en toostte. Wij toostten uitgelaten met hem mee.

'Bon, dat is duidelijk. Punt 2. Toen de Amerikanen Hiroshima en Nagasaki verrasten op een atoombom, verklaarde de Japanse keizer onversaagd: "De situatie ontwikkelt zich niet noodzakelijkerwijs in Japans voordeel." Dit noemen we nu een *understatement*, zoals het ook vrij zwak uitgedrukt zou zijn van jullie te beweren dat jullie niet noodzakelijkerwijs goed zijn in het verleiden van vrouwen tot wederzijdse genitale rek- en strekoefeningen. Begrijpen jullie wat ik bedoel? Ik heb het over Het Feest Der Liefde. Vaginaal bungyjumpen. Seks.'

Justus schonk zijn glas bij.

'Ehm, jongens, zijn jullie groen? Mag ik dat vragen? Worden jullie rood als jullie met een bekoorlijk meisje praten? Lopen jullie blauwtjes? De waarheid, heren. Zo zien jullie er namelijk wel uit. Ik bedoel: dat we ons daar in godsnaam niet voor hoeven te schamen. Niet in deze tijden. Proost overigens.'

Hij stak zijn glas omhoog. Wij proostten weer met hem mee, wat minder uitgelaten deze keer.

'Punt 3. Volgens mij zouden we er goed aan doen als ik jullie de aankomende dagen eens leer het concept seks wat beter te visualiseren. Ik denk aan een beknopte cursus "versieren voor beginners". Tips, speerpunten, diepteanalyses, theoretische achtergronden, praktijkbegeleiding, *troubleshooting*, *imagebuilding*, dat soort zaken. Dan hebben die introductiedagen tenminste ook wat nut, vinden jullie niet?'

We gaven het natuurlijk niet toe, maar we waren het er juichend mee eens. Ik althans wel.

'Kijk, nu zullen jullie zeggen: Justus, is er dan werkelijk niets meer in het leven dan seks? Is het niet een beetje zielig om je gedragingen te laten bepalen door je geslachtsdrift en je hormoonhuishouding? En dan antwoord ik volmondig: ja, dat is waar. Ja, er is meer in het leven dan seks. Maar niet tijdens een introductieweek. Als er één geschikt moment is voor de speelse uitwisseling van genetisch erfmateriaal, dan is het nu. Luister, dit is het plan: vanavond leg ik de theorie uit, en morgen doen jullie examen. Zal ik jullie inschrijven, of hoe zit dat?'

Wij knikten uitbundig. Justus bromde tevreden en verliet de kamer om in zijn huis onze slaapplaatsen te regelen (de meisjes van onze groep sliepen elders). En zo bleven we met z'n drieën achter: Rooie, Max en ik. Even keken we elkaar aan, om meteen in schaterlachen uit te barsten. Rooie zei dat hij nog nooit een wonderbaarlijker kerel had gezien dan Justus, en Max bekende dat hij van tevoren had bedacht dat hij principieel tegen dit soort bralfiguren zou zijn, maar dat hij eigenlijk bijzonder van de sfeer in Het Achterhuis genoot. Rooie en ik beaamden dit. Ik denk dat we ons voor het eerst in ons leven heel erg student voelden. Rooie, Max en ik kenden elkaar dan wel niet, maar we besloten ter plekke dat we een drie-eenheid vormden en dat we elkaar erg mochten. We brachten onze glaasjes bij elkaar om daarop te toosten.

Toen Justus de kamer weer binnenkwam, bulderde hij: 'Godverdomme, wat een klerestreek! We hadden toch afgesproken dat we het met z'n allen gezellig zouden maken. Ben ik even weg, hèbben jullie het al gezellig! Ontzettend achterbaks vind ik dat.'

Hierna glimlachte hij vilein, en noodde ons naar de kroeg voor de eerste les.

'Schiet op, kleine scheten.'

Die middag luisterden we op het terras van het centrale plein gelaten naar Justus' tips en waanzinnige uitweidingen. Hij doceerde: 'Het vervelende van deze tijden is dat je het als jongen altijd verkeerd doet, wat je ook doet, hoe je dat ook doet, waarom je dat ook doet. Deskundigen zijn het erover eens dat seks een ongelooflijk belangrijk deel van ons leven uitmaakt, daar kan ik helaas ook niets aan doen. Seks is niet alleen de sleutel tot onsterfelijkheid, het is ook een filosofisch systeem en een overheersende manier om naar de dingen te kijken. Al bij de geboorte van een mens is het allereerste dat wordt vastgesteld: heeft de baby een piemeltje of een kutje? Een piemeltje of een kutje drukt namelijk een onontkoombaar stempel op je persoonlijkheid. Ook de omgang tussen mannen en vrouwen wordt grotendeels bepaald door de genitaliën, door seksuele spanning en aantrekkingskracht. Noem me gerust gefrustreerd, dit is simpelweg de naakte waarheid. Baltsethologen zijn erachter gekomen dat mannen en vrouwen in elkaars omgeving altijd, ik herhaal, *altijd* seksuele signalen uitzenden. Er zijn op zijn minst tienduizend verschillende manieren waarop de seksen elkaars aandacht proberen te trekken, variërend van frutselen met haarbandjes en het werpen van bepaalde blikken, tot tatoeages en directe toenaderingspogingen. Het ligt derhalve in de aard van de mens, homoseksjuwele gerichtheden even buiten beschouwing gelaten, om een al dan niet bewust seksueel contactspel met leden van de andere kunne te spelen. Voor deze cursus strekt het helaas te ver om hier dieper op in te gaan, maar dankzij sociale, biologische en evolutionaire gedragspatronen gaan mannen over het algemeen gerichter en vaker op liefdesoorlogspad dan vrouwen. De vrouwenbeweging en de naweeën van de zogenaamde seksuele revolutie hebben er echter voor gezorgd dat mannen (met de nadruk op ons, wij hier, beschaafde intellectuelen) zich in deze cultuur eigenlijk zouden moeten schamen voor hun seksuele gevoelens. Dit heeft tot een rare tweeslachtigheid geleid. Spreekt een jongen een onbekend meisje aan, dan is de kans groot dat dat meisje hem een machoïstisch opdringerig zwijn vindt, spreekt de jongen het onbekende meisje daarentegen *niet* aan, dan noemt ze hem een softe sukkel. Met andere woorden, vind je een onbekend meisje *attraktiv* (en het is mijn ervaring dat jongens onbekende meisjes altijd *attraktiv* vinden), dan kun je ervoor kiezen een zwijn of een sukkel te zijn. Regel 1 van de versierkunde: niet geschoten is altijd mis, liever een zwijn dan een sukkel.'

Terwijl Justus zat te oreren keken Rooie, Max en ik elkaar voortdurend glimlachend aan. Eindelijk de grote-broerfiguur op wie we zolang hadden gewacht.

'Regel 2,' ging Justus onverstoorbaar verder, 'het gaat er absoluut niet om *hoe* je een meisje aanspreekt, *als* je haar maar aanspreekt. Dat is het allerbelangrijkste. Jongens vertonen vaak het gedrag dat ze meisjes niet durven te benaderen omdat ze geen geschikte openingszinnen weten. Jongens vinden namelijk altijd dat ze iets moeten zeggen dat er toe doet. Welnu, dit is onzin en tijdverspilling. Noem me cynisch, maar ten eerste is er helemaal niets dat er toe doet, ten tweede zitten meisjes echt niet te wachten op welbespraaktheid, een mooie filosofische gedachte, een spitsvondige oneliner of een terzake doende vraag, heus niet, meisjes willen simpelweg aangesproken worden. Wacht ik geef een voorbeeld...'

Justus gebaarde ons even te zwijgen, draaide zich half om en vroeg aan een blond meisje dat al een tijdje in de buurt van ons tafeltje drentelde: 'Hé, mag ik jou wat vragen. Heb jij wel eens een tonijnsalade gemaakt?'

Zelf zou ik een zo onbenullige vraag nooit aan wie dan ook hebben durven stellen, maar het meisje gaf Justus een glimlach waarvan ik in een pre-studentelijk leven als een stropersklem zou zijn dichtgeklapt uit pure stante pede genegenheid.

'Nou, toevallig heb ik gisteren voor het eerst van mijn leven een salade met tonijn gemaakt!' zei het meisje uitbundig (ik wist toen nog niet dat vrijwel alle studenten één op de twee salades met tonijn klaarmaken).

'Hé toevallig!' lachte Justus, veel vriendelijker en warmer dan ik hem tot dan toe iets had horen zeggen. Hij trok de lege stoel naast hem naar achter en vroeg of het meisje niet even bij ons wilde zitten. Ze lachte nog steeds vrolijk, maar zei dat ze op haar groepje wachtte.

'Ga je vanavond naar de Woolloomooloo?' vroeg Justus, 'iedereen gaat daar 's nachts heen.'

Het meisje dacht van wel.

'Oké, dan zien we je daar,' zei Justus.

'Oké,' zei het meisje, dat in de verte haar groepje zag. Ze liep van ons vandaan, maar in het voorbijgaan zwaaide ze heel even naar Justus, alleen met haar vingers. Rooie, Max en ik keken haar verbaasd en onder de indruk na.

'Wat hebben we nu geleerd?' vroeg Justus. 'Het doet er dus echt geen moer toe wat je tegen een meisje zegt. Regel 3: als je intonatie maar goed is, dat is het belangrijkste. Wat dat betreft lijkt versieren op het toespreken van je huisdieren, maar dat is weer een heel ander verhaal.'

We zaten nog een paar uur op het terras. Justus oreerde er onafgebroken op los en wij luisterden geboeid, maar zogenaamd kritisch. Aan het eind van de middag kwamen plotseling Simone, Merel en Ilona (de meisjes uit onze groep) voorbijschuifelen, en nadat we met hen hadden gegeten (voornaamste gespreksonderwerp: tonijnsalade), gingen we naar een erg druk feest van een studentenvereniging. Er speelde een band dertig keer achter elkaar het nummer 'Hé, ga je mee naar Zandvoort aan de zee', dat door vrijwel iedere nuldejaars uitbundig werd meegebruld. Wij stonden met Justus aan de bar uit plastic glaasjes bier te drinken, terwijl de meisjes dansten. Justus zei: 'Moet je ze horen schreeuwen, de zuurstofverspillers. En dat gaat over tien jaar dit land overnemen, het is een schande.'

Het werd tijd dat Justus ons eens uitlegde waarom nu juist een introductieweek zo bijzonder was voor de interactieve zelfbevrediging genaamd fysieke liefde. Hij vertelde: 'Ten eerste loopt vrijwel iedereen hier nieuw, onschuldig, argeloos en vol verwachting rond. Dit betekent dat je zonder enige agressie op te wekken ieder willekeurig meisje kunt aanspreken. Regel 26: zet dat meisje altijd op een voetstukje, zonder uiteraard te overdrijven. Regel 27: roei met de riemen die je hebt. Ik zal een voorbeeld geven. Een meisje dat overduidelijk ongerept en studentvreemd is, kijkt je aan. Toon onmiddellijk versieractie! Je buigt je naar haar toe en zegt als ouderen onder mekaar: "Hé, jij bent vast geen nuldejaars." Geen vrouw kan het in zo'n geval maken om "rot toch op, genetisch dieptepunt" te antwoorden. Ze zal blij zijn met de aandacht en triomfantelijk zeggen dat ze wél nog nuldejaars is, dat ze Algemene Letteren gaat studeren en dat ze net een week woont in haar nieuwe studentenkamer. Vervolgens zal ze vragen wat jij studeert, je zal zeggen dat je ook gaat studeren, jullie zullen praten en het grondvest voor een lekker robbertje geslachtelijk feestvieren is gelegd. Zo simpel is het. Probeer het maar. Max, probeer het met het meisje dat naast je staat.'

Max schrok enorm van deze onverwachte opdracht.

'Gewoon vragen,' gebood Justus, 'kommophee. Spreek haar aan.'

Max treuzelde een paar seconden, wachtte tot het meisje hem aankeek en vroeg met Justus-achtige intonatie: 'Hé, jij bent vast geen nuldejaars...'

Even keek het meisje Max uitdrukkingsloos aan, maar vlug toonde ze dezelfde glimlach als het tonijnsalade-meisje.

'Ja hoor, ik ben wél nuldejaars,' zei het meisje vrolijk, 'ik ga Medicijnen studeren. En wat studeer jij?'

'Ik? Ik ga...'

'Jaja, zo is het wel weer genoeg,' onderbrak Justus Max, en tegen het meisje zei hij: 'Sorry hoor, deze jongen leidt aan een besmettelijke vorm van hersenmalaria, dus je kunt maar beter niet met hem praten.'

Zonder nog een moment aandacht aan haar te besteden, ging hij verder: 'Stel nu dat een vrouw je voor de verandering *niet* met een blij gemoed te woord staat, maar dat ze lullig doet en je afzeikt. Dit komt voor. Ik heb het een keer meegemaakt. Toch is er in zo'n geval geen man overboord. Regel 28: toon doorzettingsvermogen. Regel 29: overdrijf dat niet. Soms spelen meisjes dat ze moeilijk te versieren zijn, dat een jongen heel veel moeite voor ze moet doen. Dit heeft ermee te maken dat sommige meisjes niet als lebberspleten willen overkomen, want lebberspleten zouden hoegenaamd niets met Echte Liefde te maken hebben, en Echte Liefde is zo'n beetje het hedendaagse christendom. Als een meisje je afwijst, bedenk dan dat het niet persoonlijk is: ze zeikt jou niet af, ze zeikt De Man in het algemeen af. Probeer te incasseren en door te zetten, hoe moeilijk dat ook is. Ga daarbij echter niet zover als bijvoorbeeld Italianen, want als die eenmaal een vrouw proberen te versieren, zullen ze daar onophoudelijk mee doorgaan, zelfs als die vrouw hen ondertussen met messteken om het leven heeft gebracht.'

Inmiddels stonden de meisjes uit onze groep weer bij ons.

'Waar hebben jullie het over?' vroeg Simone, met een rood hoofd van het dansen en het meeschreeuwen.

'Over de buigzaamheid van beton,' antwoordde Justus, maar toen Simone dit niet geloofde: 'Over het Feest der Liefde.' Merel zei hierop tegen Simone en Ilona dat jongens het ook altijd maar over één ding kunnen hebben, hè?

Justus hoorde dit zuchtend aan. Hij zei: 'Meisjes zijn leuk, maar ze zouden onder dat opgestoken haar eens wat meer moeten opsteken, *hè*?' en vervolgde zijn verhaal.

Een paar uur later in de Woolloomooloo, de early morning-studentendiscotheek, was hij nog steeds aan het woord, al moest hij iedere drie minuten zijn verhaal onderbreken om studievrienden, andere mentoren en huisgenoten uitbundig te begroeten. De avond was bedoeld voor nuldejaars, maar er waren minstens zo veel oudere studenten. Merel, Simone en Ilona waren we overigens weer kwijtgeraakt. Er dansten een paar miljard leuke meisjes om ons heen.

Justus, onverstoorbaar: 'Soms merk ik wel eens bij het klaarkomen, jeumig, dit is zo lekker, dit móet een gescheurd condoom zijn.'

Hij bestelde maar weer eens een rondje en schreeuwde verder: 'En dat brengt mij op een heel teer punt, heren, de Penis van Damocles. Regel 47: gebruik altijd een condoom. Ik bedoel: met de komst van het aids-virus ontwikkelde de situatie zich niet noodzakelijkerwijs in ons voordeel. Iemand schreef eens: "Er zijn in het leven twee grote tragedies, het krijgen van een geliefde en het verlies van een geliefde." Dat laatste is niet leuk, om het maar eens op z'n Japans te zeggen. Het blijft een raar gegeven dat mensen absoluut niet in elkaars zakdoeken willen snuiten, maar met veel gemak wel in elkaars geslachtsdelen. Toch vind ik het altijd weer moeilijk om condooms bij me te steken als ik ga stappen. Het is dan toch een beetje alsof zo'n ding een stemmetje krijgt. Praat je met een willekeurig meisje dan hoor je hem al juichen en zich oprekken, maar kom je een keer een avond onverrichterzake thuis, dan mompelt hij: "Justus, jij bent wel een gigantische loser, hè?" '

Een paar rondjes later begon een enorm dronken jongen zich met onze conversatie te bemoeien. Hij drentelde al een tijdje bij ons groepje en probeerde Justus' monoloog te doorbreken door 'denk aan de liefdeskastes, denk dan toch aan de liefdeskastes!' te sputteren. Bij de vijfde keer zei Justus: 'Ik geloof dat de jongen met het reptielgezicht ook wat wil zeggen.'

Er kwam een onverstaanbaar gebrabbel uit de jongen, maar Justus zei: 'Stel je eerst eens even fatsoenlijk voor, voordat je je in een gesprek mengt, kansloos baggerfiguur.'

De jongen keek Justus uitgesproken stompzinnig aan.

'Prachtig, iemand die al moet nadenken over de vraag hoe hij heet,' zei Justus tegen ons, waarna de jongen weer begon te murmelen. Hij verweet Justus een 'contradictio in terminis' (Justus: 'Ach, je spreekt Frans, wat goed') en zakte toen plotseling zielloos in elkaar. Rooie, Max en ik keken geschrokken.

'Geen paniek,' zei Justus rustig, 'deze jongen zag wat we noemen De Man Met De Hamer. Die zal jullie ongetwijfeld zelf ook een keer komen bezoeken. Je hebt dan zo veel gedronken dat je zonder aankondiging in elkaar stort, alsof iemand je vanachter tegen je hoofd slaat. Regel 93: zorg dat dit je nooit overkomt als je met een meisje zoent. Regel 94: en mocht je moeten overgeven, heb dan ook het fatsoen eerst even je tong uit haar mond te halen. Dat heeft met gevoel voor decorum te maken, met christelijke normen en waarden, met dat wat dit land heeft groot gemaakt.'

Toen de jongen met het reptielgezicht door studenten achter de bar was opgelapt en weggevoerd, ging Justus verder: 'Weten jullie trouwens waarom vrouwen vaak vallen op zogenaamde "wilde types", alcoholisten, zware rokers, drugsgebruikers, vechtersbazen en andere roekelozen? Daar heb ik wel eens iets over gelezen. Dat schijnt ook met baltsgedrag en overlevingsstrategieën te maken te hebben. Door je lichaam te teisteren laat je als jongen zien dat je lichaam daar tegen kan, dat je derhalve stevige genen hebt, sterk nageslacht zal voortbrengen en dus een gewenste sekspartner bent. Met andere woorden: ieder biertje en ieder sigaretje is eigenlijk een versierpoging. Regel 95: rook en drink zoveel mogelijk!'

Rooie bestelde prompt een nieuw rondje.

'Oké, nu begrijp ik wel dat jullie de leerstof van vandaag natuurlijk dolgraag in praktijk willen brengen,' ging Justus verder, 'toch lijkt mij dit geen goed idee. Regel 117: wees niet té gretig, dat schrikt alleen maar af. Als je op een eerste avond al heel wanhopig op liefdespad gaat, ben je eigenlijk een beetje zielig. Denk ook aan regel 128: wed nooit op slechts één paard. Versieren is een kwestie van aanpappen en warmhouden. Op een avond als deze probeer je een heleboel "reële versierkansen" te creëren, om die de volgende dagen, desnoods de volgende jaren, te consummeren. Oscar Wilde zei al: "Niets slaagt zo goed als overdaad", en hij had gelijk. Verscheidenheid is de motor van de evolutie. Regel 129: leg een hele harem aan van zoveel mogelijk potentiële teerbeminden.'

Hierna zweeg Justus voor het eerst sinds lange tijd. Hij keek ons hoofdknikkend en bemoedigend aan. In de hele Woolloomooloo werd gefeest, geschreeuwd, gezongen en gedanst.

'Goed, jongens, ik geloof dat de boodschap duidelijk is,' zei Justus plechtig, en hij gaf ons alle drie een duwtje in de richting van de dansvloer.

'Ga maar, jongens, ga maar. Aan het werk. Maak jullie moeder trots.'

Die nacht hebben Rooie, Max en ik tegen zeker dertig meisjes gezegd dat ze vast geen nuldejaars waren, wat ze allen inderdaad toch bleken te zijn. Wij zwelgden in zo veel vriendelijkheid, vrolijkheid en opgewondenheid, en het was alsof onze middelbare-schooljaren ver achter ons lagen. Wat deden we, in godsnaam, wat deden we voordat we student werden?

Toen de Woolloomooloo ging sluiten (en het belastingbetalende deel van het volk zo langzamerhand weer aan het werk ging), zochten we onze mentor. We vonden Justus in een hoek bij de bar, waar hij in een diep gesprek bleek te staan met het tonijnsalade-meisje van 's middags. Rooie, Max en ik gaven elkaar uitgelaten een *low-five*, en zagen hoe het meisje voortdurend om Justus lachte. Justus begon zelfs met lage stem en Sinatra-intonatie 'This time we almost made some sense of it, didn't we?' voor haar te zingen. Het liedje vertederde haar enorm. Toen kreeg Justus ons in de gaten. Hij zei tegen het meisje: 'Helaas, de plicht roept, daar staan mijn mentorkinderen, ze willen slapen,' en nam met pijn en moeite en duizend werpzoenen afscheid. Onderweg naar Het Achterhuis verzuchtte hij: 'Mijn god, wat een mens. Waar bleven jullie, jongens, waar bléven jullie om me te redden. Zijn jullie nou mijn vrienden?'

Die middag kreeg Justus op het centrale plein een uitbrander van de introductiecommissie omdat de legerjongen een klacht tegen hem had ingediend. Justus vond dit wel een drankje waard. Op het terras ontmoette hij een paar medeleden van zijn smartlappenkoor 'Het Lege Wiegje'. Het waren allemaal Justus-achtige zwerverstudenten, die de toevallige ontmoeting aangrepen om zich midden op het plein te groeperen en het meerstemmige, droevige nummer 'Morgen zou ze vijf jaar geworden zijn' in te zetten.

Later wilde Justus ook met ons zingen. We zaten in een café, en hij leerde ons liederen van Hank Williams, Frank Sinatra, Otis Redding, maar voornamelijk van de The Beach Boys (die hij 'Het Leven Zelf' noemde). Hij zei: 'Het waren strandfascisten, daar is iedereen het over eens. Strandfascisten die erg mooi en erg goed konden zingen. Mijn huisgenoot heeft van hen een enorme collectie zoetgevooisd gekwijl over meisjes, auto's, meisjes, het strand, meisjes, studie en meisjes. Wat mij fascineert is dat ze zo *schaamteloos* opgewekt en gelukkig waren. Ze zeiden gewoon eerlijk dat ze een gevoel van "social superiority" probeerden weer te geven. Ik bedoel: een gevoel van sociale superioriteit, daar heb ik nu ook al heel mijn leven last van! Maar goed, wat ik wou zeggen was: als je echt alles hebt geprobeerd om een meisje te verleiden, dan kun je altijd nog zacht maar doorleefd het nummer "Wendy" van The Beach Boys zingen. Geheid dat ze smelt, al ben je nog zo'n jongensachtig zwijn, geheid dat het meisje smelt. Zingen is een afrodisiacum, heren.'

Dat gold niet voor jodelen, bleek 's avonds op een druk feest bij een studentenvereniging. Iedereen was weer op z'n blakendst en vrolijkst. Justus zei dat het tijd werd voor ons versierexamen. Hij ging ons alle drie een meisje wijzen, maar eerst was het tijd voor een paar drankjes. Toen we aan de bar stonden, begon op het podium de oma van de jodelzangeres Olga Lawina te zingen. Justus vond het maar niets en raadde ons aan niet te jodelen voor een meisje. Hij zei: 'Ik heb er althans nooit iemand geil mee gekregen. Goed, als je klaarkomt ja, dan mag je jodelen.'

Aan de bar veroorzaakte Justus vervolgens nog een klein relletje, door te vertellen dat hij als kind, tot groot vermaak van zijn familie, de begrippen jodelen en joden altijd door elkaar haalde. 'Het is ook raar, hoe heeft het in godsnaam gekund dat Duitsland in het kader van de jodelvervolging Zwitserland ongemoeid heeft gelaten?'

Een paar studentes spraken hem aan op deze grap en zeiden dat hij niet mocht spotten met de Tweede Wereldoorlog. Justus riep fel: 'Oh nee? Halen jullie me nu van Schindlers lijst? Attenoie, ik ben toch zeker zelf een kleine jodeljongen, dan mag je zulke grappen maken! Zwarte humor heet dat. *Gajn* voor *gojs*. Wilden jullie mij dat recht ontnemen? Jodelahíííítler! Wilden jullie mij dat recht werkelijk ontnemen? En wie dachten jullie daarvoor mee te brengen? De Duitsers zeker weer?'

Toen de meisjes zich hadden verontschuldigd, zei Justus fluisterend tegen ons: 'Dat is echt fantastisch, ik noem dat het zeehondjeseffect. Het moet namelijk wel heel raar lopen, wil een vrouw niet platgaan voor het argument dat ik joods ben. Zo is die oorlog toch nog ergens goed voor, hè jongens? Gehandicapt of van buitenlandse afkomst zijn helpt trouwens ook, maar weten jullie wat echt een pré is bij het versieren? Homo zijn. Homo zijn en zeggen dat je het nog nooit met een meisje hebt gedaan, maar dat "heel misschien toch maar eens" zou moeten proberen. Flinke meid die zich niet ter plekke over je heen schuift.'

Een paar uur later in de Woolloomooloo, waar het weer onvermijdelijk gezellig was, hield Justus bij de bar zijn laatste oppep-praatje: 'Luister, toen Johan Cruijff – een voetballer – zijn club Ajax inruilde voor Feyenoord, deed hij dit omdat hij zijn carrière rustig wilde afbouwen. Bij Feyenoord speelde hij echter een van zijn beste seizoenen. Wat leren we daarvan? Dat we niet te veel moeten willen presteren. *Don't be too eager*. Denk aan die boeddhistische basketballer die iedere bal in de basket kan gooien, zo lang het hem maar koud laat of de bal er wel of niet ingaat. Met andere woorden: hij hoeft er heus niet altijd in. Dat geeft het beste resultaat. Blijf kalm, kijk niet bij elkaar af, volg je intuïtie en weet dat je eerste ingeving meestal de beste is. Welnu, het grote moment is daar. Hier komen de meisjes.'

Na deze toespraak wees hij voor ieder van ons afzonderlijk een meisje aan. Eigenlijk vonden we het plotseling behoorlijk gênant, maar we konden niet meer terug. Justus besloot met een ferm 'Aanvallen!' en liet zijn inmiddels bekende rollach horen.

Mijn eindexamenmeisje stond bij een tafel met een groepje vriendinnen. Ik vond haar erg mooi en leuk, waardoor ik me op voorhand behoorlijk zenuwachtig maakte. Het meisje had lang donker haar en droeg een spijkerbroek, een strak wit T-shirt met halflange mouwen en een zwart hesje. Door een dikke kluwen uitzinnig dansende en ouwehoerende studenten, wurmde ik me in haar richting, terwijl ik ondertussen alle regels van Justus nog eens repeteerde. Eerst verkende ik achteloos de omgeving waar ze stond, en toen ze doorkreeg dat ik in haar geïnteresseerd was, voerden we een kortstondig kijkgevecht. Ik besloot te handelen en ging naast haar staan. Al mijn moed verzamelend, zei ik: 'Hé, jij bent vast geen nuldejaars.'

Zonder enige emotie keek ze terug. Ik wachtte tot ze de negenenzestig spieren rond haar mond zou bewegen om me een betoverende glimlach te tonen, maar ze bleef me uitdrukkingsloos aankijken.

'Je bent de vijfde al die dat vanavond tegen me zegt. Volgens mij ben *jij* nog nuldejaars,' antwoordde ze nuchter, niet noodzakelijkerwijs in mijn voordeel.

En terwijl ik mijn best stond te doen en wanhopig probeerde een gesprek met haar te beginnen (verbeten naar eerste ingevingen zoekend), kwam Justus pesterig achter me staan, zogenaamd om me te beoordelen. Af en toe knikte hij bemoedigend, maar vaker zuchtte hij alleen maar hoofdschuddend 'tuttuttut'. Ik zweer dat ik alles uit de kast haalde, alle domme regeltjes die Justus ons had bijgebracht. Hoe laag kun je gaan? Ik was aanhoudend zonder te overdrijven, ik zette het meisje op een voetstukje, ik beweerde glashard dat ik homo was en zelfs heb ik voor haar gezongen, maar het had allemaal geen zin want ze smolt geen centimeter. Het meisje moest niets van me hebben en stuurde me genadeloos weg.

'Je bent vast een leuke jongen,' zei ze, 'maar ga alsjeblieft weer bij je vriendjes staan.'

Op dat moment zag ik dat Justus weer bij de bar stond en luid schaterend een biertje gaf aan Rooie en Max. Terneergeslagen voegde ik me bij hen, en ik begreep dat Rooie en Max hetzelfde was overkomen, dat ook zij diep vernederd waren. Justus lachte zich een keelgezwel en vertelde in zijn handen klappend van plezier dat hij ons helemaal geen nuldejaarsmeisjes had aangewezen, maar derdejaars of zo, beruchte ijskonijnen met, zoals Shakespeare het al zei, sneeuw tussen hun benen, die door geen enkele jongen ooit waren versierd.

'Heren, jullie hebben het concept afgang uitstekend gevisualiseerd!' proostte Justus, waarna hij ons alle drie tegelijk probeerde te omhelzen.

'Het spijt me, jongens,' zei hij later, veel later, op zijn kamer in Het Achterhuis. We zaten alle vier met een grote bel brandy in luie rookstoelen te kijken hoe Nederland er weer helemaal tegenaan ging die morgen. Justus lachte en wij lachten met hem mee.

'Het spijt me dat ik zo buitensporig tegen jullie aan heb zitten leuteren,' leuterde Justus verder. 'Weten jullie waarom? Omdat ik zo enorm van studenten houd. Studenten zijn mijn lievelingsmensen. Studenten zijn het leven zelf. Zo ontwapenend als jullie zijn, zo mooi, zo blakend, zo argeloos en vol verwachting. Jullie hebben meestal gedegen opvoedinkjes gehad en goede schooltjes bezocht. Helemaal fris en vrolijk komen jullie uit alle delen van het land. Weten jullie... Er komen de prachtigste, fascinerendste gevallen van *dropouts* uit jullie voort.'

Justus grinnikte onophoudelijk.

'Over een paar jaar, een paar maanden, een paar weken zullen jullie op jezelf het leven leren kennen, in al zijn onverbloemdheid, sorry dat dit een beetje pathetisch klinkt. Het spijt me, jongens, maar ik heb de afgelopen dagen zo nu en dan naar jullie gekeken, zo van opzij, een beetje schalks, zo dat niemand het kon zien. Echt waar, in de Woolloomooloo en op al die feesten zag ik alleen maar mooie mensen, allemaal mooie jonge mensen in de bloei van het leven dat ze nog geheel voor zich hebben.'

Hij leegde hinnikend zijn glas.

'En toen moest ik attenoie toch even aan The Beach Boys denken, aan dat gevoel van *social superiority*, aan die mooie surfkinderen en aan hoe het hen is vergaan. Want met die Beach Boys is het niet goed afgelopen, jonge heren, hun successen werden gevolgd door één lange afgang vol ellende, dronkenschap, Mannen Met Hamers, niet noodzakelijkerwijs in hun voordeel werkende drugs, lichamelijk verval, opgezegde vriendschappen, ruzies, mislukte relaties, ziektes en dood. Dat dacht ik godverdomme, toen ik naar jullie energieke vrijheid keek, naar jullie onbezorgde pogingen die meisjes te versieren. Ik dacht: na nu zal het alleen maar minder worden. Dat is namelijk het leven zelf, dat alles gedoemd is te vervliegen, te vervlieden of te vergaan. Het spijt me, jongens.'

De vinger aan de pols

Al op de eerste avond dat ze bij ons in huis kwam, ging ze met me mee naar café Flater (haar vriend zat op dat moment in Saoedie-Arabië, geloof ik). Ze was een paar jaar jonger dan ik en studeerde (natuurlijk) Algemene Literatuurwetenschap, wat een mooie basis was voor een pittige discussie over verspild belastinggeld. Toen we later weer bij ons huis kwamen, fluisterde ze bij haar voordeur: 'Ik vind jou leuk.'

'Ik vind jou ook leuk,' fluisterde ik terug.

'Ik ben altijd erg snel verliefd,' fluisterde ze nog zachter.

'Ik ook,' hijgde ik.

'Ben je nu verliefd?' ademde ze. Ik geloof dat ik knikte, waarop ze me langdurig aankeek. Ze zei dat ze een vriend had en ik zei dat ik een vriendin had.

'Beloof je me dat er nooit iets zal gebeuren?' vroeg ze lief. 'Ik sta niet voor mezelf in. Jij moet beloven dat er nooit iets gebeurt.'

Ik dacht aan mijn vriendin en beloofde het.

Er gebeurde al die tijd inderdaad nooit iets tussen ons, al ontstond er snel een spel dat net zo opwindend bleek als *sex ordinaire*: het schijnvrijen. Het schijnvrijen kwam erop neer dat we zo vaak als mogelijk bij elkaar zaten, altijd maar over seks praatten, elkaar altijd zaten uit te dagen en te verleiden, elkaar altijd op de raarste manieren aanraakten en de verliezer degene was die 's nachts het meest gefrustreerd in zijn eenzame bed achterbleef. Die verliezer was altijd ik.

Zelfs een tongzoen was al ontrouw en dus stonden we op haar kamer minutenlang te slijpen op gevoelige nummers, *flush on the mouth* maar onze lippen stijf gesloten. Soms pakten we elkaar stevig beet (dat mocht, we waren vrienden) en dan ademde ze in mijn gezicht, drong ze haar been tussen mijn benen, gleden haar vingers over mijn rug en stond ze zich tegen me aan te schurken – maar hielden we onze kleren aan en dus was het geen overspel. Ook speelden we blindemannetje. Tijdens een enorme hoosbui na een avond in Flater schuilden we in een portiek. Het was zo koud dat we elkaar wel moesten omhelzen, natuurlijk.

'Stel je nu eens voor dat ik blind ben,' zei ik, 'dan zou ik nooit weten hoe jij eruitzag...'

'Blinden kijken met hun vingers,' zei ze, waarop ze mijn hand pakte en die naar haar gezicht bracht. Ik betastte haar neus, haar oren en haar hals. Dat ik toch ook moest 'zien' hoe de rest van haar lichaam eruitzag, teemde ze, als ik me maar wel aan mijn belofte zou houden. Terwijl het een meter van ons vandaan stortregende, bevoelde ik door haar trui heen haar buik en haar borsten. Later onderzochten mijn vingers door de stof van haar spijkerbroek haar bovenbenen en daartussen. Toen het regenen ophield en we naar de fietsen wilden lopen, moest ik eerst iets rechtleggen.

'Ik begrijp het al,' zei ze, zich omdraaiend. 'Je blindenstok.'

Eén keer is er misschien een heel klein beetje bijna net niet overtuigend toch iets gebeurd. Dat was een paar dagen voordat ze bij haar vriend introk. Na een douche liep ze in kamerjas op de gang. Ik draaide een akoestisch nummer van Extreme dat zij echt te gek vond. Luisterend op mijn kamer liet ze haar kamerjas openvallen zonder deze weer te sluiten. Ze keek me strak aan, eerder uitdagend dan bezorgd. Haar naakte lichaam, moeder!

'Je speelt met me! Je wilt alleen maar zien of ik mijn belofte breek,' zei ik, waarop ze me gemeen glimlachend aankeek en mompelde: 'Misschien.'

Haar kamerjas viel van haar lijf.

'Ik hou me aan mijn belofte!' riep ik, terwijl ik haar beetpakte en op tafel tilde. Wat we daarna deden leek op vrijen, maar ook op vechten. Toch gebeurde er niets. We tongzoenden niet, onze handen raakten geen vitale delen, noch raakten de vitale delen elkaar. Toen het nummer van Extreme was afgelopen, herstelden we ons. Zij trok haar kamerjas weer aan. In de deuropening zei ze twee keer zacht: 'Echte seks dit, hè?'

Voordat ik knikte, voegde ze er vergenoegd aan toe: 'En toch geen overspel.'

Vrijnacht

We vinden het allemaal ondenkbaar dat je grote liefde iets lichts zou kunnen zijn – iets dat niets weegt; we veronderstellen dat onze liefde iets is dat moest zijn; dat zonder haar ons leven niet ons leven zou zijn.

Dit citaat komt uit *De ondraaglijke lichtheid van het bestaan* van Milan Kundera. Ik weet niet waarom, maar het doet me denken aan mijn broosbeminde Lisa, die ik slechts twaalf luttele uurtjes gekend heb, en met wie de omgang zo licht was en zo kortstondig dat ik er niet aan kan denken haar 'mijn grote liefde' te noemen – terwijl ik (toch) (nu nog) (jaren later) (soms) aan haar denkend wakker word of aan haar denkend in slaap val. Haar naam heb ik ontelbaar maal gefluisterd, in de wetenschap dat zij die van mij natuurlijk al lang vergeten is.

'Verwijt mij niet dat ik lichtzinnig was omdat ik liefgehad heb zonder trouw en zonder tranen heenging,' zei ze, of nee, dat hoor ik haar zeggen als ik deze regels lees. Zonder trouw en zonder tranen.

Ik ontmoette haar op de vrijdag dat ik in Amsterdam verzeild raakte op de Dam tijdens de Dodenherdenking en ik – meteen nadat de trompet had geblazen – de stilte verbrak door per ongeluk 'Ivanhoe!' te roepen. Boos draaiden velen zich naar mij om; een enkeling moest lachen. Ik schaamde mij enorm, maar ik vond het laf om weg te lopen. Met een rood hoofd schuifelde ik achterwaarts van de plechtigheid vandaan, in de richting van het Paleis. Toen de twee minuten stilte voorbij waren, fluisterde iemand achter mij in mijn oor: 'Jij bent gek.' Dat was Lisa. Ik knikte verontschuldigend, maar ze leek niet boos of verontwaardigd.

Na de herdenking, de toespraken en het leggen van de kransen, bleef ze bij me staan. Ze vroeg of ik alleen maar naar de plechtigheid was gekomen om na het schallen van de trompet Ivanhoe te roepen. Ik schudde van niet.

'Het flapte eruit. Ik geef mijn bek altijd maar een douw, het is verschrikkelijk,' zei ik. Onverschillig keek ze me aan. Ze was niet uitgesproken mooi, maar wel heel knap. Ze droeg een lange, strakke zomerbloemenjurk, met daaronder lompe legerboots. Haar haar was roodachtig zwart geverfd. We hoorden duidelijk niet tot dezelfde *scene*.

'Wat doe jij hier?' vroeg ik.

Luchtig haalde ze haar schouders op.

'De doden herdenken.'

Ze zei het glimlachend.

Op het moment dat ik voorstelde om samen ergens iets te drinken stak ze een sleutel in een deur en nodigde ze me uit binnen te komen. Ze woonde in de Spuistraat, in een hokje half onder de grond, met twee kleine ramen die uitkeken op het peeskamertje van een rondbuikige negroïde lingeriemevrouw. Er hingen schoenen aan de muur bij wijze van decoratie. In een bloemenvaas zaten sinaasappels. Lisa ging op haar bed zitten om met veel geweld en misbaar haar versleten lompe legerlaarzen uit te trekken ('Ze zijn nieuw,' verduidelijkte ze), waaronder ze kleine bloemetjessokken droeg. Uit haar keuken haalde ze een fles wijn.

'Ik moet je wat vertellen,' zei ze, 'het is bij mij altijd liefde op de eerste vijf glazen wijn.'

Hierna keek ze me grappig en min of meer uitdagend aan. Ik wist eerlijk gezegd niet wat me overkwam.

'Liefde op de eerste vijf glazen wijn,' zei ik zacht, 'en hoeveel flessen heb je?'

Achteloos zei ze dat ze nog twee flessen had.

Toen ik vroeg of ze soms verdrietig was, vanwege Dodenherdenking of zo, zette ze grote ogen op en riep verbaasd van niet. Ze ging ieder jaar op 4 mei naar de Herdenking. Ze hield van de sfeer, het ingehouden verdriet, het nerveuze geschuifel en het magnifieke moment van de stilte.

'Het klinkt misschien wat raar als ik het zo zeg,' zei ze, 'maar ik hou best wel van leed. Leed heeft iets moois. Al die mensen op de Dam, die allemaal samen zwijgen, dat is toch overweldigend?'

Ik knikte.

'Dat doet me denken aan die Amerikaanse gijzelaars in Teheran, een jaar of tien geleden,' ging ze verder, 'die werden door Khomeiny onder erbarmelijke omstandigheden gevangen gehouden. Steeds werden ze in de stad van hot naar her vervoerd. Op een gegeven moment bracht men ze zelfs naar een vliegtuig, maar dat vertrok op het allerlaatste moment net niet. Ze werden van elkaar gescheiden, en weer bij elkaar gezet. Toen bracht men ze opnieuw naar een vliegtuig, maar de gijzelaars waren murwgepest en ze geloofden niet meer dat het op zou stijgen.'

Lisa stopte hier haar verhaal om een sigaret op te steken en de wijn bij te vullen.

'Dat vliegtuig,' vervolgde ze, 'draaide op de startbaan, een camera filmde de gijzelaars, die angstig en zwijgend af zaten te wachten welke grap de Iraniërs nu weer zouden uithalen. Het vliegtuig nam een aanloop. De gijzelaars zwegen. Het vliegtuig steeg op. De gijzelaars zwegen nog steeds. Het was een overweldigende stilte. Het vliegtuig ging hoger en hoger, en toen nam de gezagvoerder het woord. "This is your captain speaking," zei hij, "we're now above neutral territory, we're not above Iran anymore, you are free again." De gijzelaars zwegen nog steeds. Langzaam drong het tot hen door. Free again. De camera registreerde hoe de gijzelaars elkaar aankeken, hoe ze elkaar aanstootten, hoe ze begonnen te roepen, hoe ze opstonden, hoe ze in een oorverdovend gejuich uitbarstten. Ikzelf zag deze beelden op tv, en ik zat zowat te janken voor de buis. Mijn vader lachte me daarom uit, maar ik vond het zo mooi, dat diepe leed gevolgd door die uitzinnige vreugde. Als ik er sterk aan terugdenk, kan ik zo weer huilen. Stom hè?'

Ze giechelde.

'Ik heb ook zo'n verhaal,' zei ik, 'het speelt zich af na die ramp in Zeebrugge, met die veerboot, de Herald Of Free Enterprise. Een man en een vrouw lagen samen in een ziekenhuiskamer, een televisieploeg filmde hun leed. Ze waren er beiden vrij ernstig aan toe, maar ze bejammerden eigenlijk alleen het lot van hun dochter. "She is lost," kermde de man, "we don't know where she is. O God, don't let anything have happened to her." Op het moment dat de man en de vrouw samen lagen te huilen over hun dochter – de camera draaide ongegeneerd door – kwam er een zuster de kamer binnen. "We've found your daughter," zei ze tegen de man en de vrouw, die ongelovig reageerden. "You've found her?" vroeg de man wezenloos. Hij keek naar zijn vrouw, ze strekten allebei een arm uit naar elkaar, en samen begonnen ze ingehouden te huilen van opluchting. Ik zat op de bank naast mijn jongere zusje, diep te snuiven en te knijpen met mijn ogen.'

Lisa zuchtte.

'Dit zijn dan nog twee verhalen die goed aflopen,' zei ze, 'laatst barstte ik echt in tranen uit. Er was een fragment op de televisie van een Amerikaans praatprogramma, waarin kinderen die besmet waren met het aids-virus mochten vertellen over hun leven. Een zevenjarig, heel erg guitig donker meisje begon plotseling te snikken. "Het is niet eerlijk," zei ze, "niemand mag van zijn ouders met ons spelen. Niemand mag bij ons komen logeren. Dat is gemeen van die mensen. Wij hebben maar heel kort te leven. Wij weten dat we dood gaan. We hebben nog maar een paar jaar, en toch doet iedereen gemeen tegen ons. Ik moet altijd alleen spelen. Nooit mag er iemand bij mij komen, want ze zijn bang dat ze dan ook besmet raken. Dat is gemeen. We gaan dood en we hebben een rotleven." '

Lisa tuitte haar onderlip.

'Godverdomme...' zei ze, 'sorry hoor.'

Hierna moest ze zelf huilen.

'Hé,' zei ik zacht.

Lisa boog zich naar me toe, omarmde me en legde haar hoofd op mijn schouder. Ik knipperde heftig met mijn ogen.

'Ze had zulke lieve vlechtjes, dat meisje,' fluisterde ze.

Later kregen we een heel goed, heel diep, heel openhartig gesprek over leed, liefde en verliefdheid en seks. Over *rebounding* (verwerk-vrijen), het 'inhalen van de schade' na een lange relatie; over het feit dat een drieënhalf jaar durende liefde even imponerend en belangrijk kan zijn als een heftige van anderhalve week; over waarom je soms verliefd kunt worden en blijven op een verkeerd iemand; over hoe vreselijk het is als je verliefd bent op iemand die je niet kunt krijgen; over overspel; over hoe het zou zijn om het eens met iemand te doen uit een totaal andere groep; over waarom je niet op twee mensen tegelijk verliefd zou kunnen zijn; over 'gevaarlijk leven' enzoverder. Lisa ontvouwde haar Hogere Pieken Diepere Dalen-theorie. Ze zei: 'Sommige mensen leven zo...' waarna ze haar wijsvinger in de lucht stak, en tekende:

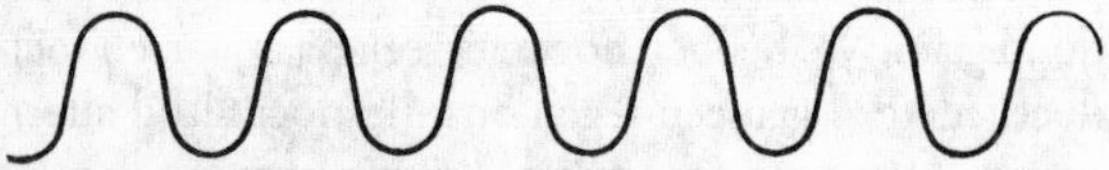

Ze ging verder: 'Anderen leven zo...'

'Dat laatste is de *flatline*,' zei ze, 'dan ben je dood, als je zo leeft. Ik ben meer geïnteresseerd in de pieken en de dalen. Je moet vrij zijn, altijd, je moet vrij zijn om te doen en laten wat je wilt. Hogere pieken, diepere dalen.'

Toen ze dit gezegd had, zwegen we beiden. Ik zag hoe aan de overkant een man langdurig voor het peeskamertje stond te drentelen. Lisa schonk mij en zichzelf nog wat wijn bij.

'Je hoeveelste glas is dit eigenlijk?' vroeg ik.

'Mijn vijfde.'
Ze zei het glimlachend.

Zelfs haar slipje had een bloemetjesmotief. Gevaarlijk levend likte ik eerst haar hals, toen langs haar oksels en de zijkant van haar borsten naar haar buik, de pieken en dalen van haar heup, daarna over haar dijen naar tussen haar dijen, waar ik de bloemetjes op haar broekje vochtig maakte. Het was vrij en licht met Lisa, en een magnifiek moment en hoger piekend, dieper dalend en heel erg begaan met het leed in de wereld. Misschien dat ik me tijdens deze onverwachte rebound al afvroeg of dit moest zijn, of zonder dit mijn leven wel mijn leven zou zijn.

Later lag zij op mij, en ik op haar, en zij weer op mij, en waren we zeker niet dood. Toen ik nog weer later me krampachtig inhoudend maar toch half schreeuwend, bijna tergend was klaargekomen en zwijgend onder haar lag uit te hijgen, boog ze zich naar me toe.

'Ivanhoe!' fluisterde ze schreeuwend.

De wereld van de dingen die we niet hebben gedaan

Iemand heeft ooit eens geschreven dat je niet moet ravotten met metaforen omdat uit één enkele metafoor liefde kan worden geboren. Bij mij wordt liefde geboren uit unieke details. Op een poëziefestival ontmoette ik een meisje dat al de nagels van haar vingers rood had gelakt, op de nagel van haar linkerringvinger na: die was zilverkleurig. Zoiets verzin je dus niet. De naam van het meisje was Maxime. Net als veel andere drieëntwintigjarige meisjes zag ze er veel volwassener uit en gedroeg ze zich ook zo. Ze woonde in een raar pand op het Neude, waar ze me (zonder me uit te nodigen) mee naartoe had genomen. Maximes huiskamer was heel camperig ingericht; een mooie mengeling van kitsch, snob en HEMA. Ter goedkeuring liet ze me de Turkse wijn zien die ze wilde opentrekken: een fles Kutman uit 1989 (sek beyab sarap!). Toevallig was het altijd al een droom van me geweest om een keer een echte Kutman te drinken. Terwijl Maxime met een opener aan de slag ging, vond ik dat ik al echt verliefd op haar begon te worden. Alsof Maxime mijn gedachte raadde, zei ze: 'Ik neem niet vaak zomaar een jongen mee, hoor.'

Dat vond ik een goed teken. De wijn inschenkend, zei ze: 'Eigenlijk is dit meer een soort experiment. Mijn vriend zit op het ogenblik in het buitenland.'

Bedachtzaam knikte ik nog een keer. Ze had dus een vriend.

Maxime reikte mij mijn glas.
Ik proostte: 'Kutman.'

Ze zei (ongeveer een uur later): 'Toen ik een jaar of zestien was, dacht ik: als seks nu werkelijk zo verschrikkelijk leuk is, waarom is de wereld dan niet één grote, hossende, geile, uit zijn voegen springende geslachtsdelenkermis? Ik had daarover een mooi visioen. Overal zag ik elkaar onbekende mensen die zich ongegeneerd en woordenloos aan elkaar overgaven, in bussen, in winkelcentra, in flatgebouwen, in cafés, op scholen: overal was iedereen naakt, iedereen geil, en overal wilde iedereen alleen maar neuken, neuken, neuken, neuken, neuken, neuken, neuken!'

Ze herhaalde het verdacht vaak. Ik schonk de glazen nog eens vol en Maxime ging verder: 'Als je in een restaurant aan het tafeltje tegenover je een leuke jongen zag zitten, kon je hem probleemloos uitnodigen voor wat speels divertissement. "Natuurlijk," zou zo'n jongen dan antwoorden, waarna jij je bloesje openknoopte, hij zijn rits naar beneden trok, en er in een hoekje of bijkeukentje tussen een voor- en een hoofdgerecht doeltreffend maar bevredigend gecopuleerd werd. Daarna gaf je elkaar een hand en wenste je elkaar een prettige voortzetting van de avond. Iedereen zou het met iedereen doen; iedereen was gelukkig.'

Maxime moest vreselijk om zichzelf lachen; ik grinnikte met haar mee.

'Nou ja, en toen kreeg ik dus een vriend.'

Nadat ze dit gezegd had, trok ze haar zwarte jasje uit waaronder ze alleen een soort hemdje droeg. Detail: op haar linkerschouder zat een tatoeage, zag ik, een muisje. Een meisje met een muisje op haar lichaam.

'Ik vind seks eigenlijk best wel belangrijk,' ging ze aarzelend verder (dat klopte, want we hadden al die tijd over niets anders gepraat), 'ik ben er wel veel mee bezig. Het is een soort systeem om naar de wereld te kijken. Over niets wordt zo hypocriet gedaan als seks. Nergens vind je zo'n grote discrepantie tussen wat mensen zeggen en wat ze doen, of wat ze zouden willen doen, of waarover ze fantaseren. Ik heb al jarenlang verkering met een vent van wie ik hou, die ik zelfs volledig trouw ben, en toch denk ik vaak aan seks met anderen.'

Het was niet de eerste keer dat ze trouw zijn en seks met anderen noemde. Ik kreeg de indruk dat hier iemand een vies spelletje aan het spelen was. Ze was me aan het oppruriënten, en niet zo'n beetje ook.

'Dus jij bent altijd trouw?' vroeg ik voor de duidelijkheid.

Ze knikte. 'Sterker nog: ik heb nog nooit in mijn leven overspel gepleegd.'

Dat was leuk om te weten. Daar zat ik dan met mijn onmiddellijke verliefdheid. Ik schonk de glazen nog eens vol met Kutman en vroeg me af waarom ze me had uitgenodigd. Volgens mij was het haar bedoeling mij gek te maken. Ze zou me opnaaien met gepraat over seks en overspel en met gekronkel van haar lichaam, in de hoop dat ik opdringerig zou worden. Als ik toe zou slaan, zou het haar schuld niet zijn en hoefde ze zich ten opzichte van haar vriend niet rot te voelen. Of zoiets. Oké, ik zal het spelletje voorlopig meespelen, jongedame, besloot ik. Door goed op te letten, strategisch te antwoorden en me te gedragen zoals jij dat van me verwacht, zal het me wel lukken jou gek te maken in plaats van jij mij.

Maxime verzuchtte: 'Leefden we maar in de jaren zestig, dat meen ik echt. Toen was het volgens mij allemaal veel makkelijker. Ik heb het gevoel alsof mensen echt veel vrolijker en vrijer met elkaar omgingen in die tijd. Jezus, om baby's hoefde niemand zich zorgen te maken, en om enge ziektes al helemaal niet. Het lijkt me echt verschrikkelijk dat mijn vriend ziek zou worden vanwege het simpele feit dat ik me met een ander niet zou kunnen inhouden.'

'Je kunt toch liefdesvliesjes gebruiken,' stelde ik zachtjes voor (het woord 'condooms' bewust vermijdend), maar ze antwoordde: 'O ja? Nou, die kunnen makkelijk scheuren. Sinds de A van Aids de A van Angst is, moeten we twee onverenigbare zaken smeden, want hoe zouden liefde en voorzichtigheid samen kunnen gaan? Het is vreemd, als jij verkouden was zou ik er niet over denken je te zoenen, maar als jij mij in het heetst van de seks zou vragen me zonder condoom te mogen neuken, zou ik dat zeker toestaan, dat weet ik gewoon.'

'Ga je daarom niet met andere jongens naar bed?'

Maxime haalde glimlachend haar schouders op. Ze zei: 'O, maar ik heb nooit gezegd dat ik niet met andere jongens naar bed ga. Ik ga zelfs met heel veel jongens naar bed. Ik heb alleen gezegd dat ik nooit overspel pleeg. Dat is wat anders.'

Toen ze dit gezegd had, lachte ze me hard uit. Ik moet zeggen dat ik op dit punt het liefst naar huis was gegaan, want ik begon me behoorlijk ongemakkelijk te voelen. Hoe kun je nou wel met anderen naar bed gaan en toch geen overspel plegen? Nee, het meidje was me duidelijk aan het sarren en ik had de touwtjes niet in handen. Om even van haar af te zijn, stond ik op om haar boekenkast te bekijken, maar Maxime liep naar de deur. Ze zei dat ze me boven wat wilde laten zien. Omdat ik aarzelde, kwam ze naar me toe. Ze gaf me een kus op mijn wang en fluisterde ironisch pathetisch: 'Ik zal je naar een wereld brengen die je niet kent.'

Zo wanordelijk en afgeladen als haar huiskamer eruitzag, zo netjes en zakelijk waren de kamers boven. Maxime vertelde dat haar vriend kunstenaar was (natuurlijk, dat kon er ook nog wel bij) en dat hij deze ruimtes gebruikte als atelier. Er floepten grote lichtbalken aan. Nimmer heb ik een netter, onwerkelijker atelier gezien: nergens verf, doek, beitels, tekentafels of ander gereedschap, alleen maar computers en andere technische apparaten.

'Heb je wel eens gehoord van *Teledildonics*?' vroeg Maxime, terwijl ze hier en daar wat apparaten aanzette en enkele knoppen bediende. Er begonnen machines te zoemen en beeldschermen te flikkeren. Ik had nog nooit van *Teledildonics* gehoord, maar ik kreeg de indruk dat ze het me ging uitleggen.

'Mijn vriend houdt zich heel veel met deze dingen bezig,' zei ze. 'Het heeft te maken met *silicon simulation*, zegt je dat iets? Mijn vriend is in Nederland een van de mensen die daar het verst mee zijn.'

Ik begreep werkelijk niet waar ze naartoe wilde of wat me te wachten stond. Maxime sloot de lamellen voor de ramen, en zei zonder enige emotie: 'Oké, kleed je uit.' Ik was verbaasd, want ik had in deze omgeving veel verwacht, maar niet dat ze met me wilde vrijen. Wat was ze van plan? Wilde ze wraak gaan nemen op haar vriend omdat hij zich hier zo veel met zijn *teledildonics* bezighield dat hij haar verwaarloosde? Werd ze er geil van het te doen op de werkplek van haar vriend? Wilde ze me tarten?

Ik maakte geen aanstalte me te ontkleden, maar Maxime gaf me het voorbeeld door haar zwarte hemdje uit te trekken en daarna snel haar legging. Zelfs haar slipje hield ze niet aan. Plotseling stond ze naakt voor me. Ze had een gebruind meisjeslichaam, met welgevormde nectarineborstjes en slanke benen.

'Je bent heel mooi,' zei ik aarzelend, want de aanblik van een glimlachend naakt meisje tussen louter computerapparatuur was nogal verwonderlijk, zeg maar gerust een stijlbreuk. Maxime tippelde heel even naar me toe om dwingend te fluisteren: 'Waar wacht je op? Kleed je uit.' Terwijl ik mijn kleren toch ietwat onwennig uitdeed (het voelde alsof ik me in een ziekenhuis moest laten onderzoeken), legde ze een paar rare attributen klaar. Mamma, wat ging er met me gebeuren?

Het eerste ding dat ze me liet aantrekken noemde ze een *data-gilet*, een nogal zware elektronische bodywarmer die van binnen voelde als een plakkerige kwal. Ik vroeg of ze me even kon vertellen wat ze van plan was, maar ze zei dat ik maar moest wachten en het over me heen moest laten komen. Toen ik mijn gilet aanhad, hielp ik Maxime in de hare, die iets kleiner was en ter hoogte van haar borsten twee bolvormige apparaten had. De vele snoeren die uit onze gilets kwamen, werden door Maxime nauwgezet aangesloten op een enorme schakeldoos. Ik was nog niet aan mijn gilet gewend of Maxime bracht een ander angstaanjagend voorwerp.

'Ik moet nu heel even aan je zitten,' zei ze, waarna ze resoluut mijn slappe geslacht pakte en er een paar rubberen ringen omheen schoof, compleet met sensoren en draadjes. Mijn lichaam protesteerde niet (maar in mijn hoofd riep iemand dreigend: ze gaat je lul elektrokuteren!). Ze beval me te stappen in wat ze noemde *teledildonic trousers*, een korte knickerbocker gevuld met allerhande technisch materiaal. Toen ik het gevaarte aanhad, greep Maxime wederom mijn slappe pik, die ze probeerde te prakken in een soort omgekeerde melkfles aan de voorkant van de trousers.

'Het zou handig zijn als hij even wat stijver werd,' zei ze, een verklaring gevend voor de korte rukjes die ze met haar hand aan het geven was. Ik keek even naar beneden, zag Maximes nagels en voldeed vanzelf aan haar verzoek. De melkfles voelde van binnen zacht en toch nat aan (als een stofzuigerbuis die frambozengelei heeft opgezogen). Maxime monteerde de loshangende draadjes van de ringetjes aan een verzamelstekker, die ze verbond aan een computer. Hierna deed ze zelf ook een elektrische onderbroek aan, die iets weghad van een hypermoderne kameel-voorbindpenis. Ze rommelde wat met het ding, tot het waarschijnlijk goed zat. De volgende attributen die ik moest aantrekken, waren twee *cybergloves*, handschoenen met tientallen draadjes (die wederom werden aangesloten). Als laatste kwam Maxime aan met een *fiber-optic helmet*, zoals het ding heette, een helm die later een eenpersoons driedimensionale bioscoop bleek te zijn. Ze zette het apparaat op mijn hoofd en onmiddellijk werd alles zwart. Het bleef angstaanjagend donker. Ik zag niets, hoorde enkel af en toe het gebliep van een computer en het geratel op een toetsenbord. Wél heel interessant, dat wél. Ik werd door Maxime in een richting geduwd, waar ik op haar moest wachten. Toen, na zeker een paar minuten, ging de wereld weer aan.

'Welkom in mijn *virtual sexreality*,' hoorde ik Maxime zeggen.

Plotseling was *alles anders*. Er ging echt letterlijk 'een wereld voor me open'. Midden in Utrecht bevond ik mij in een groen weiland, bij een hekje, terwijl de zon gezellig scheen en ik in de verte een weids bos zag. De naakte vrouw tegenover me (er stond een naakte vrouw tegenover me) was Maxime; niet de Maxime die mij even daarvoor nog verbouwd had tot een elektronische kerstboom, maar een glimlachende animatievariant. Computermaxime stak haar hand op.

'Hallo jongen,' hoorde ik naast me.

'Hallo Maxime.'

'Als je nu je hand opsteekt, dan wordt dat door de computer geregistreerd en getransformeerd naar jouw en mijn beeld,' zei Maxime, wier telezusje haar hand weer liet zakken. 'Hoewel we naast elkaar staan, staan we in deze virtuele wereld tegenover elkaar.'

Ik stak mijn hand op, en inderdaad zag ik een gedeelte van een arm zich in de telewereld voor me ook opheffen.

'Hallo jongen.'

'Hallo Maxime,' zei ik. 'Wauw! Dit is te gek!'

Door het dolle bewoog ik een paar keer mijn armen op en neer, wat onmiddellijk correspondeerde met mijn schermarmen.

'Steek nu eens je hand uit,' beval Maxime me, waarop ik mijn hand naar voren bewoog. In driedimensionaal beeld zag ik hoe mijn arm naar de rechterborst van Maxime reikte.

'Raak ze maar even aan,' stelde Maxime voor.

'Wat?'

'Mijn borsten. Knijp er maar even in.'

Toen mijn virtuele hand de virtuele borst van Maxime raakte, voelde ik tegendruk in mijn *cyberglove*. Tegelijkertijd hoorde ik heel zachtjes een motortje zoemen. Ik vroeg wat er nu gebeurde en Maxime legde uit dat op het moment dat ik haar schermborst raakte, haar *data-gilet* op die plek in haar echte tiet kneep.

'Wil je zeggen dat ik je borsten kan strelen door in de lucht een beetje met mijn handen te wapperen?' vroeg ik.

'Probeer het maar.'

Ik deed een klein stapje naar voren (wat ik op het scherm ook deed) en pakte met beide handen Maximes borsten. Ik bewoog mijn vingers en zag hoe deze verdomd natuurgetrouw met de tepels speelden. In de verte hoorde ik nog steeds een vaag gezoem (en een zweem van een zuchtje).

'Het mooie is dus dat het systeem beschikt over *proprioceptive feedback*,' legde Maxime uit. 'Dit betekent dat jij mijn tepels bijvoorbeeld nooit kapot zou kunnen knijpen. Jouw handschoen zorgt ervoor dat jij de contouren van mijn lichaam kan voelen.'

Ik nam een tepel tussen mijn vingers.

'Kan ik er ook aan zuigen?' vroeg ik.

'Probeer het, jongen. De wereld is er om verkend te worden.'

Dit liet ik me geen tweede keer zeggen. Ik boog me voorover en zag Maximes borsten steeds dichter bij me komen. Toen een van de tepels erg vlakbij was, merkte ik dat ik mijn mond vanzelf opendeed. Op dat moment hoorde ik weer een elektromotor, eentje die klaarblijkelijk iets in mijn mond drukte. Terwijl ik zogenaamd aan Maximes tiet zoog, voelde ik hoe een neptepel zich tussen mijn lippen wrong. Ik stopte met zuigen (waarna de fopspeen zich onmiddellijk terugtrok) en riep: 'Jezus! Dit is echt te gek!'

'Ja, want het mooie is dus dat je je kunt afvragen of jij mijn borsten beroerde, of dat het een apparaatje was,' zei Maxime. Ik was even echt sprakeloos en probeerde alle implicaties van deze simulatiewereld te bevatten. Ondertussen zag ik hoe Maxime haar armen naar me uitstrekte. Op het moment dat ze me aanraakte, voelde ik mijn *data-gilet* bewegen. Het was geen felrealisme, maar toch was er duidelijk een correlatie tussen de handen van Maxime en het gedruk op mijn buik. Ik merkte dat Maxime me steeds lager begon te masseren, tot ik een lichte vibratie voelde in de natfluwelen melkfles tussen mijn benen.

'Kijk, nu heb ik dus je pik vast,' zei Maxime.

Op zich was de trilling geen onaangenaam gevoel en mijn lichaam begon erop te reageren. Naast me hoorde ik: 'Welwel, hij begint al te groeien!' Ik kreeg inderdaad een erectie.

'O, wat een mooie stijve!' riep Maxime pesterig uit. Ik vroeg of ze dat kon zien dan, en zij legde uit dat de sensoren in de rubberbandjes hadden geregistreerd dat mijn lul zich had gevuld met bloed: 'Zoiets vertaalt zich dan onmiddellijk naar een lekker kloppende penis op mijn schermpje.'

Maxime liet mijn lul weer los en deed een paar stappen van me vandaan. Ik zei dat ik het werkelijk ongelooflijk vond. Maxime zei: 'Bedenk eens wat voor een impact dit heeft. Nu zijn we beiden in één ruimte, maar het is een koud kunstje om dit systeem op een modem aan te sluiten. Dan kun je met elkaar seksen terwijl de een zich aan de andere kant van de wereld bevindt. Handig voor eenzame zeelieden. Kijk, en er hoeft natuurlijk geen echt iemand mee te doen, dat is het handige van computers, je kunt ook een ideale elektronische plastic pop programmeren. So much for celibacy!'

'Prodigieus!' riep ik.

'En je kunt natuurlijk ook de premissen veranderen,' ging Maxime verder, 'ik heb nu bijvoorbeeld een blanke jongen tegenover me staan, maar met één druk op de knop is daar zo een neger van gemaakt!'

'Nee! Geldt dat ook voor mij?'

'Natuurlijk! Dikke of dunne vrouwen, ronde of ovale borsten, roodharige of blonde meisjes, jong, oud: alles is mogelijk. Je stoutste dromen kunnen worden vervuld! Een virtueel bordeel!'

'Een invalide embryo met een buitenboordbeugel en anorexia!' riep ik verrukt uit, maar Maxime deed alsof ze niet moest lachen. Ik liep een stukje naar haar toe. 'Ik begin nu toch wel erg geïnteresseerd te raken in het kleine computerkosmosje tussen je benen.' Maxime maakte met haar handen een 'kom maar op'-gebaar.

'Ik heb een heel vrijpostig voorstel, dat ik nog nooit aan welk meisje dan ook heb gedaan, dat zweer ik!' riep ik.

'Zeg het, jongen.'

Ik haalde adem.

'Mag ik je virtueel beffen?'

Maxime verzuchtte dat ze had gedacht dat ik het nooit zou vragen. Ze leunde tegen het hekje (in werkelijkheid was het een hoge kruk, meen ik), en ik boog door mijn knieën, tot ik haar silikutje bij mijn gezicht had. Haar clitoris was duidelijk vormgegeven. Ik hapte toe en voelde de fopspeen weer in mijn mond (het moest er nog bijkomen dat ook de geur levensecht was, maar dat was dus niet zo). Naast me hoorde ik iets vibreren, vergezeld van een steeds luider wordend gezucht en gesteun. Deze computercunnilingus was blijkbaar enorm stimulerend, want snel begon Maxime omslachtig te kreunen. Na een paar minuten overstegen de geluiden van Maximes geilmakende orgasme het snerpende geluid van haar *televulvanic trousers*. Meteen hierna fluisterde ze: 'Nou moet je neuken. Neuk me. Vlug!'

'Neuken? Hoe doe ik dat?'

'Door je pik in mijn kut te steken, verdomme!'

Ik begreep onmiddellijk wat ze bedoelde. Terwijl ik opstond deed Maxime (die nog steeds tegen het hekje stond) haar benen wijd en ik voelde mijn pik nog stijver worden. Mijn virtuele ontmaagding was al even enigmatisch als destijds mijn originele. Toen ik bij Maxime naarbinnen drong voelde ik een rollende greep op mijn lul, totaal anders dan ik verwacht had.

'Dus dit is het nu?' vroeg ik, met opengesperde ogen om me heen kijkend. Maxime begon weer te kreunen. Ik vroeg wat zij nu voelde, van binnen en zo, en ze antwoordde dat er nu een vibrator in haar kut was gedrukt.

'Is het voor jou even lekker als het is voor mij?' vroeg ik, giebelig, maar toch al in behoorlijke mate opgewonden.

'Het is heerlijk,' zei ze. Na een tijdje stelde ze voor een ander standje te proberen, waarna ze zich van me losdrukte, zich omdraaide en licht gebogen voor me ging staan. Het ging nu allemaal heel soepel. Het zal waarschijnlijk door de opgekropte spanning en het wonderbaarlijke van de avond zijn gekomen, maar ik merkte dat de elektronische melkfles en ik elkaar steeds sneller begonnen te neuken. Het duurde niet lang of ik kwam klaar. Laat ik het erop houden dat dit het vreemdste orgasme is geweest dat ik ooit heb gehad. Terwijl ik uithijgde, pakte Maxime me liefdevol beet.

'Gaan we nu een virtuele sigaret roken?' vroeg ik.

Dat sigaretje rookten we dus beneden, in het echt, terug in Utrecht, nadat Maxime ons beiden zorgvuldig had afgetuigd. Ik stelde vast dat de unieke ervaring met Maximes computerzusje toch niet opwoog tegen de aanwezigheid van Maxime zelf. Ze zag er blakend uit en leek tevreden. Bij iedere trek die ze nam, zag ik steeds haar zilveren nagel (die ik boven een beetje had gemist). Ik hoopte dat onze teleseks het voorspel zou zijn voor echte liefde, en terwijl we nog wat Kutman dronken, vroeg ik voorzichtig of ze dit van ons aan haar vriend ging vertellen. Maxime zei: 'Dit van ons?'

Zachtjes zei ik ja.

Maxime grinnikte niet eens zo heel erg gemeen.

'Wie dacht je dat ik in mijn wereld voor me had?' zei ze droog.

Ik begreep het niet.

'Eh, mij toch? Min of meer? Toch?'

Maxime lachte nu harder.

'Dacht je dat jouw uiterlijk in de computer zat, soms? Ik zei je toch dat ik nooit overspel pleegde...'

Ik lachte met haar mee, maar vond het eigenlijk helemaal niet zo grappig. Ik besefte dat ze mij gewoon gebruikt had om met haar vriend te vrijen. Ze had een spelletje met me gespeeld dat ik vies verloren had. Ik was met haar naar bed geweest, zij niet met mij.

De ontdekking van de wereld

Domecq oblige

Het is in de dagen dat de wereld wordt geteisterd door oorlog, honger, ziekte, brand en besmette bavarois. Mijn vriendinnetje Arwen en ik zijn uitgenodigd deze onontkoombare ellende te ontvluchten. We mogen naar Andalusië reizen, om daar in alle rust van het landschap te genieten en erachter te komen hoe sherry wordt geproduceerd. Kijk, dat zijn nu uitnodigingen die het loodzware harnas van leed dat je als schrijver in Nederland gedwongen bent te dragen, enigszins helpen verlichten. Sherry, dat is nog eens een interessant onderwerp! De invitatie Spanje te bezoeken komt van de familie Domecq, naar we ons hebben laten vertellen het meest roemruchte en sjiekste sherrygeslacht van Jerez en aanpalende wijnsteden. Nederland schijnt het enige land ter wereld te zijn waar sherry ook door de jongste generatie innemers wordt gedronken, en daarom mag er aan deze groep wel wat extra aandacht worden besteed. Onder het postmoderne motto 'de reis is de prijs' hoef ik in ruil voor het bezoek alleen maar een verslagje te maken. Mijn vrienden zijn hierom zo jaloers dat ze stante pede beslissen ook schrijver te worden.

Het is overigens schaamteloos hoe iedereen elkaar altijd maar zit na te praten. Ik heb niet bijgehouden hoe vaak mij in de afgelopen weken kifterig verteld is dat sherry eigenlijk uitsluitend door dames wordt gedronken en dat het eind mei in Zuid-Spanje verschrikkelijk warm kan zijn. Ik moet bekennen dat ook ik geen flauw benul heb waarin sherry zich onderscheidt van andere wijnen (behalve dat de drank een hoger alcoholpercentage heeft en in supermarkten dientengevolge door huisvrouwen per winkelwagentje wordt ingeslagen) en dat ook ik gewapend met een heel vatenstelsel aan zonnebrandolie naar Andalusië afreis, op de hoogste temperaturen voorbereid.

Arwen is nog het meest verheugd van ons beiden. Gisteren heeft zij na weken van noeste arbeid haar eindwerkstukken ingeleverd bij het Utrechtse Schooltje voor Journalistiekje; thans voorziet zij uren van lome, lege tevredenheid op warme Spaanse stranden.

Het regent zachtjes als we landen op het vliegveld van Jerez, maar dat is een subtropisch namiddagbuitje, besluiten we, bedoeld om het landschap even wat af te koelen. Het is een graad of tweeëntwintig; aangenaam, maar toch niet de mensonterende hitte waarmee al die afgunstige etterbakken dreigden. In de taxi naar het Royal Sherry Park Hotel noemt Arwen de stad 'Oost-Berlijn met palmbomen', maar deze benaming blijkt slechts op te gaan voor het armere gedeelte van Jerez, want in de wijk waarin ons hotel ligt zijn de huizen groot en gepleisterd in pastelkleuren.

Ik ben opgegroeid in een rijtjeshuis in een nieuwbouwwijk van een middelgrote stad in Zuid-Holland, en ik vraag me waanzinnig contemplatief wel eens af of er voor een schrijver een slechtere start denkbaar is. Ware weelde, buitenissige rijkdom en *grandeur de vie* ken ik vrijwel uitsluitend van de televisie en uit de literatuur. Ik ben niet iemand die het vanzelfsprekend vindt dat hem alle egards ten deel vallen, dat er lakeien voor hem buigen of voetvolk klaarstaat. Ik bedoel te zeggen dat mijn mond openvalt als Arwen en ik door een robbedoes (die uiteraard onze koffers draagt) naar onze copieuze hotelkamer worden gebracht. Terwijl Arwen bijna klaarkomend op het balkon het zwembad en de palmentuin bewondert, zoek ik zenuwachtig naar Spaans kleingeld om in de handen van de piccolo te drukken (wanhopig uitrekenend of ik hem niet te veel, dan wel te weinig geef). Als Arwen en ik later het overvloedige hotel verkennen besluiten we dat het toch verschrikkelijk moet zijn als je aan dit soort luxe gewend zou raken. Wat zou er dan nog overblijven om naar te verlangen in deze rotwereld?

Bij terugkomst van onze rondgang staat er een grappig flesje La Ina van Domecq met twee glaasjes en een schaaltje olijfjes op ons te wachten. *Bienvenido a Jerez.* Arwen en ik vloeken uitgelaten en bekogelen elkaar met de olijven. Wat een wereld, wat een rare, rare wereld.

'sAvonds lever ik bij de receptie de elektronische kamersleutel in. De goudstralende hal is vergeven van personeel en er zitten uitsluitend Engelse en Franse zakenmensen. In onze vakantiekleren vallen we behoorlijk uit de toon.

'Very good hotel,' zeg ik tegen het meisje van de receptie.

'Gwhat?' vraagt ze.

'This is a very good hotel,' herhaal ik. Lichtelijk aangeslagen kijkt het meisje me aan. Als ze de sleutel zwijgend aanneemt en weglegt, fluistert Arwen: 'Dat heeft geen van de gasten natuurlijk ooit tegen haar gezegd.'

We besluiten van ons zakgeld (ja, we hebben zakgeld) een volksrestaurantje te zoeken en niet te dineren in de met stapels servies, servetten en glazen afgeladen eetzaal van het hotel. In de binnenstad van Jerez vinden we een restaurant annex bar annex ijszaak annex woonkamer: 'La cepa de oro'. Achter de toog staat een man die eruitziet alsof hij zijn kunstgebit heeft uitgedaan, maar die in werkelijkheid toch nog al zijn tanden blijkt te bezitten. Hij doet of hij ons met tegenzin bedient, maar je kunt merken dat hij het leuk vindt dat we er zijn. We eten Gazpacho de Andaluz, traditionele koude tomatensoep met broodpulver en knoflook. In een hoek kijken mannen afwisselend naar het stierenvechten en de Europacupfinale Barcelona-AC Milan. De stier noch Barcelona redt het. Onderweg terug naar het hotel zien we zowaar Cees Nooteboom. Drie keer achter elkaar: als taxichauffeur, nougatverkoper en bewaker van het hotel.

Terwijl in de verte de lichtreclame van Domecq flikkert, besluiten we in het donker van ons balkon dat we begenadigde mensen zijn. We hebben het over onze hornymoon en we zijn op voorhand met alles intens tevreden.

We worden er gewoon een beetje links en ongelukkig van, zo goed verzorgd is het ontbijt in dit hotel. Waarom zou niet iedereen op aarde de dag altijd zo kunnen beginnen, vragen we ons bijna huilend af. Om half tien wachten we licht nerveus in de hal van het hotel op een afgezant van de familie Domecq. Met ons wachten ook veel zakenmensen tot ze worden opgehaald. Af en toe gaat een van hen mee met zijn of haar escorte. Dan stopt er een statige auto bij de ingang.

Een man in pak informeert bij de balie en er wordt driftig gebeld en gezocht in computers. Ik vind het leuk om gade te slaan dat er een zakenman zoek is. Na een paar minuten wijst een receptionist vertwijfeld in onze richting. De man in pak kijkt even en schudt zijn hoofd. Hierna gaat de zoektocht door. Na een tijdje komt een bellboy verontschuldigend naar ons toe.

'Are you mister Shepherd?' vraagt hij. 'Are you a writer?'

Ik knik en opgelucht dirigeert hij ons naar de man in pak. Is dát jochie nu een schrijver? zie ik de voltallige receptie, de piccolo's, de man in het pak, alle Engelse en Franse zakenmensen en iedereen die zich ermee bemoeid heeft denken. De man in pak begeleidt ons naar zijn wagen. In de auto durft Arwen te vragen of hij een echte Domecq is, familie van de beroemde, stokoude José Ignacio Domecq González (die iedereen kent van zijn bijnaam 'de Neus' uit de televisiereclame). In het Spaans legt de man uit dat hij slechts chauffeur is. Jezus, gelukkig verstaat Arwen Spaans.

Na tien minuten komen we in een wijk waar alle huizen wit met geel zijn. De man vertelt dat deze hele wijk van Domecq is, legt Arwen me uit. Door een haag van bomen worden we langs hoge en statige gebouwen naar een paleisachtig optrekje gebracht. Er hangt een behoorlijk 'La casa de Bernarda Alba'-sfeertje. Op een leren bankstel wachten we op wat komen gaat, een beetje als Beavis & Butthead om alles giebelend. We hopen en verwachten ieder moment dat de Neus binnen zal komen om ons te onderrichten over sherry. Het is echter niet de Neus die zich voorstelt, maar Xavier Domecq, een vriendelijke gedistingeerde man, die we later zullen benoemen tot 'eindelijk de vader-figuur op wie we zo lang hebben gewacht'. Hij blijkt een neef van de Neus te zijn.

'Zijn jullie klaar voor de bodega's?' vraagt hij in Engelsklinkend Spaans. We zijn er klaar voor: kom maar op met de drank! Ik ben iemand die achtentwintig is en denkt dat hij zo langzamerhand weet wat er te weten valt in de wereld, die zo'n houding heeft van: 'De zin van het leven? Geef me een paar weken!' En dan blijkt plotseling dat je over een belangwekkend onderwerp als sherry-produktie helemaal niets zinnigs kunt vertellen. Xavier Domecq leidt ons rond in de hoge bovengrondse wijnkelders, waar het zoetig ruikt en aangenaam koel is. Op rustige toon legt hij uit wat sherry zo bijzonder maakt.

(Het volgende blokje produktinformatie is gesponsord.)

Het blijkt dat Jerez de la Frontera een uniek gebied is, omdat oceaanwinden ervoor zorgen dat in de wijnvaten een drijvende gistlaag ontstaat: de *flor*. Deze flor scheidt de wijn van de zuurstof en trekt de druivesuiker uit het sap, waardoor de wijn helder en droog wordt. Terwijl ondertussen Arwen haar School Voor Journalistiek-blik opzet en doet of ze luistert, legt Xavier Domecq mij het befaamde 'solera-systeem' in de bodega's uit. In het kort: een gevoelig, kostbaar en redelijk ingewikkeld procédé.

Vervolgens wijst Xavier Domecq ons de 'grafitti' op de wijnvaten. Iedere bezoeker mag met een krijtje een boodschap op de vaten krassen. In het Nederlands zie ik staan: 'Een glas sherry is een gedicht zonder woorden.' Arwen zegt: 'Ja, en een slijterij is eigenlijk een boekwinkel.'

Op twee aparte vaten staan de handtekeningen van

Franco en zelfs van Napoleon Bonaparte. Helaas wordt ons niet aangeboden ook een vat te bekladden, daarvoor zijn wij waarschijnlijk te politiek-correct. Zelfs Arwen durft niet om een krijtje te vragen.

Van al deze poëzie hebben we trouwens dorst gekregen. Vlak bij de vaten van de dictators staat een tafel, waar een trotse dikke man rommelt met spulletjes. Hij heet de *catapaz*, ofwel de beheerder van deze bodega (we dachten eerst dat het Cees Nooteboom was). Xavier Domecq geeft de man opdracht wat proefglaasjes te vullen. De catapaz steekt een lange staaf boven in een vat en diept wat sherry op.

'Hij mag de flor niet kapotmaken,' legt Xavier Domecq uit, 'en daarom prikt hij er een klein wakje in. Zo dadelijk giet hij van hoge afstand de sherry in de glaasjes, om de wijn met zuurstof in aanraking te laten komen. Dan komt de smaak los.'

Met aandoenlijke ernst voert de catapaz zijn taak uit. Gracieus met zijn arm zwaaiend brengt hij ons de glaasjes. Tijd voor participerend schrijverschap. De wijn is inderdaad fris en toch beendroog, licht en toch intens. Voor Arwen is de sherry te zuur (ze fluistert: 'Ik vind het anders behoorlijke kattepis wat die catapaz heeft ingeschonken').

We hebben de glaasjes nog niet leeg of Xavier Domecq zegt: 'Jongens, straks zullen we lunchen, maar eerst hebben we een onverwacht cadeautje voor jullie.'

Het is inderdaad een verrassing: de chauffeur scheurt ons toeterend naar een ander gedeelte van de stad! We worden afgezet bij de Real Escuela Andaluza del Arte Ecuestre, een grote manege met veel bladgoud, paardevijgen en toeristen, waar we net op tijd zijn voor een grote show. Ginnegappend om onze VIPbehandeling zien we vanaf de eretribune tientallen paarden op Spaanse volksmuziek en deuntjes van Mozart en Pachelbel dansen. Arwen en ik zijn er inmiddels over uit dat alles in Spanje met seks te maken heeft, de omgangsvormen, het eten, de sherry, de catapaz, de stieren en ook deze paardendressuur. De paardenmenners hebben hier dezelfde status als skileraren en surfinstructeurs; een groot deel van het vrouwelijke publiek juicht hen bewonderend toe. Er steigeren paarden, er huppelen paarden van links naar rechts, er worden SM-paarden minutenlang afgebeuld en iedereen klapt zich waanzinnig opgegeild de blaren op de handen. Zelfs de schijtende paarden zijn een afrodisiacum. Tot slot van de show dansen de beesten en hun berijders de *bailante*, een traditionele Andalusische manier van huppelrijden.

'Tot zover Horses On Ice,' zegt Arwen bij de uitgang.

Het is een mooi moment als alle toeristen lamlendig naar hun bussen schuifelen en wij bij de ere-uitgang worden opgehaald door onze chauffeur (die uiteraard de portieren voor ons openhoudt).

We lunchen (in gereformeerd Nederland heet dat om deze tijd avondeten) in een nogal exquis restaurant; ik heb het althans nog nooit meegemaakt dat het aantal gebakken aardappeltjes op mijn bord correspondeerde met het aantal obers om de tafel. Jammer dat de gazpacho van beduidend mindere kwaliteit is dan die van gisteravond. Xavier Domecq geeft ons een landkaart waarop met vijf verschillende kleuren routes in de omgeving staan aangegeven. Hij heeft een heel programma opgesteld met interessante plaatsen. We moeten zeker naar de 'witte steden' en natuurlijk naar Sevilla. Bij het woord Sevilla maak ik nog een blundertje door te vertellen dat ik over deze stad heb gelezen in Asterix.

'Is dat de titel van de roman of de naam van de schrijver?' vraagt Xavier Domecq geïnteresseerd, bereid het gesprek een intellectuele wending te geven. Na een Babylonische tenniswedstrijd krijg ik toch niet uitgelegd wie of wat ik met Asterix bedoel. Later die namiddag zet Xavier Domecq ons af bij ons hotel. Uit de achterbak van zijn auto haalt hij twee grote zakken die gevuld zijn met cadeautjes: dure pennen, luxedozen met glaasjes, horloges, polo-shirts en heel veel sherry. We bedanken hem uitvoerig en hij zegt: 'Als jullie meer willen weten of als er problemen zijn, bel me. Denk aan onze wapenspreuk: *Domecq oblige*.' We zwaaien hem na, maar voordat we het hotel binnenstappen, zie ik hem verzuchten: 'Allemachtig, was dat nou een schrijver?'

Het motregent zachtjes als we op ons balkon genieten van het ijs dat we de roomservice hebben laten brengen. Daar worden we héél opgewonden van, van roomservice. We voeren een discussie over het verhaal dat ik moet schrijven, over 'integriteit', 'principes', 'oratio pro domecq', 'kritische instelling', '*this story is sponsored by La Ina*', 'wiens brood men eet, wiens woord men spreekt' en meer van de dingen die Arwen tijdens haar studie trouwhartig heeft opgestoken en bereid is met haar leven te verdedigen. Later vraagt ze (en ik vind het typisch iets voor een vrouw om die vraag te stellen): 'Als jij niet naar Spanje had gehoeven, hadden wij hier nu dan gezeten?'

De Spanische Pünktlichkeit indachtig worden we om negen uur 's ochtends ruw uit ons bed gebeld omdat de huurauto beneden staat. Ik vraag of ze de sleutels van de wagen bij de receptie willen achterlaten, maar zo makkelijk gaat dat niet. Ongewassen sta ik vijf minuten later te onderhandelen met de man van het verhuurbedrijf. Hij wil dat ik de wagen betaal, maar ik zeg dat dit op een misverstand moet berusten. Ik probeer Xavier Domecq te bellen, die echter niet te bereiken is. De Avis-man (het blijven natuurlijk allemaal kleine Franco'tjes) begint zich op te winden en het lijkt of hij mij het liefst door de Guardia Civil wil laten martelen. Peseta's moet hij zien, hard cash, creditcards, *la bolsa o la vida*. Net als ik begin te zweten en op het punt sta de wagen toch maar zelf te betalen, staat plotseling Xavier 'Pappa' Domecq in de hal van het hotel. Uitgelaten roep ik zijn naam en leg ik à la Stan Laurel uit wat er aan de hand is. Hoewel ik me voorstel dat hij zijn emoties liever niet wil tonen, komt in deze rustige, gedistingeerde man toch even de ware Spanjaard boven: hij wendt zich tot de autoverhuurder en blaft hem zo genadeloos af dat deze mij angstig buigend de autosleutels geeft en gehaast het hotel ontvlucht. Onmiddellijk is Xavier Domecq weer de voornaamheid zelve. Hij geeft mij glimlachend een hoofdknik en begroet de zakenman voor wie hij aanvankelijk naar het hotel is gekomen.

Het blijkt een uur later nog steeds te motregenen (van felle zon of moorddadige temperaturen is vooralsnog deze hele trip geen sprake geweest). Op de met palmbomen en een heel solera-systeem van sherryvaten gedecoreerde parkeerplaats van het hotel zien we waarmee we door Andalusië mogen toeren: een pasteldiarree Renault Twingo, een stadsautootje met lieve koplampoogjes en een hoge 'knuffelfactor'. Een kinderwagen, volgens Arwen, en dat vinden we wel passen bij mijn status van huppelschrijver.

Na een heel oogstseizoen geprobeerd te hebben uit de stad te komen, lukt het ons eindelijk de weg naar 'de witte steden' te vinden, hoewel het nog steeds geregeld misgaat. De *running gag* wordt dan ook: 'Ehm, heb ik een afslag gemist?' en dit blijkt een *self-fulfilling prophecy*, want we zullen in de loop van deze werkweek behoorlijk wat afslagen missen. Na anderhalf uur rijden zitten we midden in de bergen. Als de zon even schijnt, zet ik bij een plateautje de Twingo aan de kant. Er rijdt nauwelijks verkeer; het enige dat we horen zijn vogels en gekletter van koebellen. In de verte ligt Arcos, de eerste witte stad. Arwen en ik omhelzen elkaar en kijken minutenlang naar het dal. Arwen zegt: 'Eso es literatura,' en dan begint het weer te regenen, want het blijft Zuid-Spanje tenslotte.

Later verdwalen we in de binnendoolhoven van witte steden met rare namen als Arcos, El Bosque, Ubrique, Grazalema, Zahara, Algodonales en Bornos. Dit zijn helemaal witgeschilderde dorpjes, alle even mooi, rustig en steil, de huizen hebben openstaande voordeuren (maar raar genoeg ook tralies voor de ramen), de bomen dragen gelijktijdig sinaasappels en citroenen, en als we op een terrasje de woorden 'kut' en 'gdvrdmm' horen, weten we dat er ook Nederlanders zijn.

Ik ben iemand die zich zijn hele leven van God noch gebod iets aantrekt, vloekend, frauderend, zuipend en wilde seksfeesten bezoekend door het leven trekt, om vervolgens in het buitenland plotseling met een devoot gezicht kerkjes te bezoeken. Wat dat betreft kunnen we in de witte dorpen onze lol enorm op. Arwen vertelt dat ze ooit in een Spaans kathedraaltje is geweest, waar je bij een Mariabeeld op een hendel moest stappen om de ogen van de Maagd open en dicht te laten gaan. Dit soort prachtige poppenkast voor volwassenen vinden we ook in de bergdorpjes. In één kerk hangen zeker drie lendendoeken die gegarandeerd nog voor Jezus Christus' heilige delen hebben gehangen. In een andere kerk ligt een echt geraamte met een half gebalsemd hoofd, dat toebehoorde aan de derde-eeuwse kerkcatapaz Sint Victor. In weer een andere kerk zien we in een achterafkamertje, dat een priester een kruis gebruikt als klerenhanger voor zijn habijt. En overal staan felrealistische, hypergeile beelden van Jezus, de discipelen, de heiligen, maar vooral van de Maagd. We worden behoorlijk melig van de pracht en praalprullaria...

'Moet je kijken, dat beeld daar. Dat is God.'

'Ja...'

'Het lijkt wel of zijn arm in het gips zit...'

(Even later): 'Niet voor het altaar langs!'

'Ach, we hebben er toch voor betaald...'

Na zeven witte steden, ontelbare mooie uitzichten en andere bezienswaardigheden, proberen we de route terug naar Jerez te vinden, nog steeds voortdurend afslagen missend. Bij een *venta*, een restaurantje langs de weg, eten we op een overdekt terras een gazpacho waarin zoveel knoflook zit dat het gewoon pijn doet aan ons gehemelte. Arwen zegt dat ze niet begrijpt waarom al die Spaanse mannetjes zo gedrongen en klein zijn, want alles wordt in deze contreien met liters olijfolie klaargemaakt, zelfs de koude tomatensoep. Ze vind het ronduit gemeen.

Als we uren later in het centrum van Jerez een McDonald's ontdekken (aangetrokken door de belofte dat er ook een 'infantiel park' is), proberen we eindelijk wat gezonds binnen te krijgen. Wandelend met warm appelgebak en frites, passeren we een stuk verderop een kleine kathedraal. De deuren staan open en het publiek voor een Pinksteravondmis stroomt toe. Een golem-achtig mannetje bij de ingang wenkt ons, om de mis te volgen. Arwen en ik reageren stante pede hetzelfde: 'O nee hè, niet wéér een kerk!'

Onder het regenscherm van het terras bij het zwembad van ons hotel ontmoeten we een Nederlandse zakenvrouw, die gisteren twee Fransen heeft ontmoet, die op hun beurt een zigeuner hebben ontmoet, die op zijn beurt een paar muzikanten heeft ontmoet, die op hun beurt moeten optreden op een receptie. De Nederlandse zakenvrouw staat erop dat wij met haar én de Fransen én de zigeuner én de muzikanten meegaan. Dat wordt een dolle boel. Ik hou niet zo van dit soort onverwachte afspraken, maar Arwen zegt dat je deze dingen nu eenmaal doet op vakantie.

We verzamelen om twaalf uur 's middags in een hotel in het centrum, om vandaar uit met taxi's naar een rijtjeshuis in een buitenwijk te scheuren. In de garage viert een grote familie uitbundig de heilige communie van een als bruidje verkleed jong nichtje. Aanvankelijk moet de zigeuner even praten om zijn aanhang rare buitenlanders binnen te loodsen, maar dan worden we zo gastvrij ontvangen dat we gewoon even schrikken. Een voor een komen de opa's en oma's, tantes en ooms, neven en nichten naar ons toe om ons te omhelzen en te zoenen. Vooral Arwen is erg in trek. We krijgen van alle kanten sherry toegestopt, en hapjes, en nog meer sherry, en nog meer hapjes, en nog meer sherry, en vooral nog meer sherry.

Ik ben best behoorlijk etnocentrisch, en cynisch, en cultuurverveeld, maar toch voel ik dezelfde emotie als de rest van ons toeristische clubje. We zijn aanwezig bij een puur Andalusisch volksfeest van mooie trotse mensen: er wordt gedanst, gedronken, gegeten, gezongen en wild geklapt. Voortdurend zeggen wij buitenstaanders oprecht tegen elkaar: 'Wat is dit ontzettend mooi.'

De stelling dat in Spanje alles seks is, klopt nog steeds. Terwijl de muzikanten flamenco-nummers spelen, dansen eerst de opa's en oma's, en later de jonge kinderen uitdagende verleidingsgevechten. Het feest is compleet als een mooie, hoogzwangere vrouw statig maar opzwepend met haar vader danst. Aan de rand van de uitbundige familiecirkel zie ik een jongen zo in dit feest opgaan, dat hij in tranen uitbarst.

Rijtjeshuis of niet, dit is het ware Spanje.

Terug in het hotel bedanken we de zakenvrouw dat zij ons naar deze receptie heeft meegenomen. Ze vraagt of we al naar een stieregevecht zijn geweest. Noem me een saaie asceet, maar ik word er niet geil van te kijken naar het doden van dieren. Ook Arwen rilt bij de gedachte.

'Jongensjongens toch, je moet toch weten waar je tégen bent?' zegt de zakenvrouw, en een moment later staat ze bij de balie van het hotel te bellen met de arena van Chiclana.

'We gaan,' zegt ze, als ze heeft opgehangen. 'Over een uur begint de voorstelling.'

In de Twingo roept Arwen dat ze niet zo houdt van dit soort onverwachte afspraken, maar ik vind dat je deze dingen nu eenmaal doet op vakantie. Chiclana ligt op drie kwartier rijden van Jerez, de zakenvrouw loodst ons linea recta naar het stadion.

'Ik ben zo vreselijk bang dat ik het leuk vind,' fluistert Arwen, als onze reisleidster in de rij voor de kassa staat. En zo bevinden we ons even later, een beetje daas omdat we het nog niet helemaal kunnen geloven, in een stierenvechtarena tussen louter bloeddorstige macho's, macha's en machito's. Ik ben zo'n jongen die al flauwvalt als in het café de ene dronkelap de andere boos aankijkt, laat staan wanneer er een keer echt bloed vloeit.

'Als het eng wordt, kijk je gewoon even naar de haartjes op je benen,' zegt de zakenvrouw monter.

En dachten wij dat paardenmenners, surfinstructeurs en skileraren stoere jongens waren, nou, dat zijn dus echt homofielen vergeleken bij toreadoren. Zelden zo'n collectief orgasme gehoord als bij de opkomst van de drie stierenvechters. Als mensgeworden penissen nemen ze het bulderende applaus van het publiek in ontvangst. Dan horen we gebeuk van hoorns tegen de arenapoort. Iedereen joelt en schreeuwt, en het gevecht begint.

Hoe verloopt een stieregevecht? Verrassend simpel eigenlijk, als je erover nadenkt. Een stier komt de ring in rennen en wordt doodgestoken terwijl de toeschouwers olé roepen. Vervolgens begint men met witte zakdoeken te zwaaien en werpt de toreador de oren en de staart van de stier in het publiek. Het artistieke genie (verslagen van de gevechten staan in Spanje op de kunstpagina) loopt ter afsluiting een rondje door de arena om baby's te kussen, meisjes te ontmaagden en cadeautjes in ontvangst te nemen. Daarna komt een nieuwe stier de arena binnen en speelt alles zich precies hetzelfde nog een keer af.

De lievelingstoreador van het publiek is Jesulin de Ubrique (kleine Jezus van Ubrique). Hij neemt het meeste risico en weet zijn stieren zo te hypnotiseren dat hij ze uiterst menselijk over hun kop aait, voor hij hen vermoordt. Vooral de vrouwen zijn dol op hem. Er worden damesschoenen in de arena gegooid, en als hij zijn muts te leen geeft aan een meisje, brult zij een geluid door het stadion alsof ze klaarkomt (wat door haar zusters in de liefde met jaloezie wordt aangehoord).

Het is overigens verrassend hoe vlug een mens blasé wordt. Het doden van de eerste stier bekijken we met walging en afschuw. Zelfs de zakenvrouw inspecteert voortdurend of haar ladyshave goed heeft gewerkt. Als de stier op de grond ligt na te hijgen en door een vies mannetje met een dolk in zijn nek wordt gestoken, voel ik mezelf wit wegtrekken. Daar schaam ik me dus niet voor.

Bij de tweede stier durven we al wat beter te kijken naar de capriolen van de toreador en zijn assistenten. Bij de volgende stier weten we zo langzamerhand precies welk hulpje nu weer een speer in de stier gaat drukken, en als het zoveelste beest wordt weggesleept, zegt Arwen gapend: 'Ehm, heb ik een afslachting gemist?'

Na een paar uur kunstzinnig moorden valt de schemering in. Het gevecht is voorbij, iedereen verlaat het stadion. Alle toeschouwers zijn opgewonden en blaken van geilheid. Ook wij zeggen uitgelaten tegen elkaar: 'Nou, dat wordt neuken,' hoewel we zoiets natuurlijk uitsluitend roepen omdat we blij zijn dat we niet zijn flauwgevallen, maar ook omdat de vreselijke angst dat we dit bloedvergieten stiekem leuk zouden vinden, godzijdank ongegrond is.

Er hangen donkere wolken boven de imponerende stad Sevilla. Arwen en ik voelen ons een beetje treurig omdat we morgen al weggaan. Nog niet één dag heeft de zon volwaardig geschenen, wat ons behoorlijk in de problemen zal brengen.

'Was het een leuke vakantie?'

'Heel leuk!'

'O jaah, en waarom zijn jullie dan niet bruin?'

Om te schuilen voor de regen rennen we van de ene tapasbar naar de andere boekwinkel. Vooral deze laatste zijn erg deprimerend. Javier Marias, Rafael Chibres, Terenci Moix, Alfonso Ussia, Carmen Montelbán, Julio Llamarares, maar helemaal nergens Ronald Shepherd. Wacht maar, roep ik verbeten tegen argeloze verkoopsters, wacht maar tot ik vertaald ben!

Uit arren moede kopen we twee kaartjes voor de doorlopende voorstelling van de Kathedraal van Sevilla. Met gemak winnen Arwen en ik de beklimming van de toren, want al die bejaarden zijn natuurlijk geen partij. Ook bezoeken we de schatkamers van de kerk. Er is toch iets aan dat katholieke geloof dat ik niet begrijp. Als Christus eenvoud en soberheid predikt, waarom zijn dan die habijten van al die Sinterklazen zo schaamteloos rijk en overdadig?

's Middags houden we een tapastocht in het centrum van Sevilla: in iedere café dat we tegenkomen bestellen we een éénhapsgerechtje. Na twee kroegen geven we het op, omdat we ons dagelijks quotum olijfolie inmiddels bereikt hebben.

We nemen de grote tolweg terug naar Jerez. Het regent en het zicht is slecht (maar het is toevallig wel eenentwintig graden). Onze kleine Twingo raast in de avondschemering over de baan. Arwen vertelt dat als auto's een ongeluk krijgen, mannen er vaak verkreukelder uitkomen dan vrouwen.

'Dat komt omdat vrouwen rokken dragen, die ervoor zorgen dat ze hun benen bij elkaar houden. Dat is gunstiger bij een aanrijding dan de wijdbenige houding van mannen, wist je dat?'

We zwijgen even. Het begint harder te regenen.

'Dus eigenlijk zou het voor mannen veiliger zijn als ze ook rokken gingen dragen?' zeg ik, en het is alsof ik God getart heb, want op dat moment begint de ruitewisser van de Twingo rare geluiden te maken. Na een paar seconden knapt er iets in het knuffelding en blijft het levenloos tegen het raam staan. Uiteraard plenst het op dat moment hevig en hebben alle tegenliggers hun grootlicht aan. Ik kijk in een mozaïek van lichtgespetter en maak een kleine zwenking op de rijbaan. Snel zet ik de wagen op de vluchtstrook. In de verte zien we een wegenwachtpaal, waar we stapvoets naartoe rijden. In haar beste Spaans legt Arwen aan de man in de paal uit wat er aan de hand is, maar probeer in zo'n geval maar eens het woord voor ruitewisser te bedenken. De man antwoord ten slotte dat er hulp onderweg is.

Daar zitten we dan. Het is tien uur 's avonds. De volgende ochtend om acht uur vertrekt ons vliegtuig. We staan vijftig kilometer voor Jerez op een verlaten Zuid-spaanse rijksweg, te midden van dorre weilanden. Helemaal alleen. De regen slaat op het dak en tegen de ruiten. Af en toe schiet er een wagen voorbij (die altijd even zijn grootlicht aandoet om ons beter te bekijken). We zijn niet bang, we zijn bezorgd. Arwen vind het spannend. Eso es literatura.

Uiteraard zouden we kunnen raden hoe dit afloopt. Natuurlijk zal pas over anderhalf uur een heuse takelwagen komen. Een mannetje (we zullen eerst denken dat het Cees Nooteboom is) zal in een poep en een scheet onze ruitewisser vastzetten, daarvoor een astronomisch bedrag rekenen, waarna we weer verder kunnen rijden. We zullen 's nachts in het hotel aankomen en de volgende ochtend met gemak ons vliegtuig halen. De familie Domecq zal de geleden schade binnen tien minuten per envelop vergoeden, en daarnaast ook al onze roomijsservice en gesprekken naar Nederland betalen.

Maar stel nu eens dat het niet zo zou gaan, fantaseren we bangelijk. Stel dat de man in de paal wel gezegd heeft dat er hulp onderweg is, maar dat ze denken: ach, laat maar zitten. Mañana, mañana. Stel dat we ons vliegtuig daardoor zullen missen.

Misschien is dat wel goed. Misschien is dat een hele opluchting voor bijvoorbeeld iemand als Xavier Domecq. Misschien dat hij als hij erachter komt zou zeggen: 'Jongens, ik ben blij dat jullie gebleven zijn. Er moet mij iets van het hart. We kunnen in ons bedrijf wel wat jonge enthousiaste mensen met een frisse kijk gebruiken. Van al die doorgewinterde zakenmensen heb ik namelijk mijn buik vol. Hebben jullie geen zin om voor ons te werken, ik bedoel Ronald als tekstschrijver en Arwen in de raad van bestuur?' En wij op onze beurt zouden daar even over moeten nadenken, maar de familie Domecq zou ons zo'n typisch Andalusisch landhuisje bieden in de buurt van Jerez. Ik denk dat wij de uitdaging zouden aannemen. Arwen is tenslotte toch net afgestudeerd en ik ben maar een schrijver. En als we dan een tijdje voor Pedro Domecq hebben gewerkt (de jeugd in heel Europa zou aan de sherry raken), zou er een brief binnenkomen van het Spaanse hof. 'Er is ons ter ore gekomen dat er bij jullie roemruchte sherryhuis twee hardwerkende Nederlanders werkzaam zijn. Mogen wij u verzoeken deze jongelui eens langs te sturen?' zou er in die brief staan. En aan het Spaanse hof zou men al even gecharmeerd van ons zijn als bij Pedro Domecq. 'Weten jullie wat het is,' zou de Spaanse koning ons in vertrouwen vertellen, 'met die troonopvolging van mij zit het niet echt snor. Nu weten we allemaal hoe de relatie Spanje-Nederland door de geschiedenis is vertroebeld. Het lijkt me goed als we die negatieve spiraal eens doorbreken, door Hollands bloed de troon te laten bestijgen. Voelen jullie wat voor zo'n duobaan, of hebben jullie verplichtingen elders?' Uiteraard zouden wij zo'n functie wel wat vinden, maar er zouden een paar haken en ogen zijn. Met dat rare stierenvechten moet het maar eens stoppen, stellen wij als voorwaarde, waarna het lijkt of er een zware last van de vorst zijn schouders valt. Eindelijk eens een paar mensen die dat gewoon durven zeggen in dit land. Het stierenvechten verdwijnt en na een paar jaar onder onze leiding wordt Spanje het meest welvarende land van de EG (zelfs de wegenwacht zal op tijd rijden). Uiteraard zou dit niet onopgemerkt blijven. Als de eenwording van Europa begint te naderen, zal het Europese Parlement op zoek gaan naar een staatshoofd voor het hele werelddeel. Een zware taak, maar desalniettemin krijgen Arwen en ik een uitnodiging om in Brussel eens te komen babbelen. De enige eis die we zouden hebben, is dat we in ons landhuisje nabij Jerez mogen blijven wonen, want we willen eenvoudig blijven en het contact met de bevolking niet verliezen. Men zou in Brussel en later ook bij de Verenigde Naties met ons weglopen. En als men vervolgens zo tevreden over ons is dat het Parlement vraagt ons voor het leven te mogen benoemen, doen we daar niet moeilijk over, aanvaarden we onze taak en volvoeren deze stil. Het enige dat er tegenover zou moeten staan, is dat we met een krijtje onze handtekeningen mogen zetten op een solera-vat in een bodega in Jerez.

De veiligste plek op aarde

Het eerste gesprek dat ik met Jonathan had, was meteen het openhartigste dat ik ooit met een bijna-vreemde heb gevoerd. Ik kwam bij Jonathan in huis wonen, en op mijn eerste avond troonde Jonathan me mee naar een ranzige Chinees bij ons in de straat. Ons voornaamste doel daar leek de oprichting van een leerstoel Geslachtsdeelkunde aan de ook nog uit de grond te stampen Faculteit der Liefdestechnieken En Grote Veroveringen. Vanaf dat gesprek heb ik een paar jaar mijn hart aan Jonathan geleast: hij was mijn lector, ik zijn student.

Nu heb ik echt best wel een hele linkse, weldoordachte, gedegen nieuwbouwwijk-opvoeding gehad, eerlijk, en ook aan de seksuele volgroeiing werd genoeg aandacht besteed. We hadden bij ons thuis een bibliotheek aan voorlichtingsboeken; noch mijn vader noch mijn moeder was vies van een Henry Millertje, een Jantje Wolkers of een l'Histoire d'Otje (die ik natuurlijk ook las); als 's avonds Sjef van Oekel en Barend Servet in- en uitzoomden op het donkere driehoekje tussen twee meisjesbenen zaten we met het hele gezin te schateren op de oranje zitzakken; over alles mochten wij vragen stellen en complete jaargangen *Sextant* (voorheen: *Verstandig ouderschap*) lagen ons voortdurend ter beschikking. De tekeningen op superformaat uit dat blad heb ik als tienjarige zonder met mijn ogen te knipperen bekeken, tekeningen waarop groepen mensen elkaar ongegeneerd besprongen en belebberden, om van het elkaar bepissen en onderschijten maar te zwijgen. Moest kunnen: lang leve de koddige jaren zeventig.

Het valt mij overigens op (belangwekkend literair probleem, dat ik toch even aan de orde wil stellen) hoe weinig 'de nieuwbouwwijk' figureert in de Nederlandse literatuur, terwijl wel ongeveer de helft van de Nederlanders in zo'n wijk woont. Ik zou uit mijn hoofd geen roman kunnen noemen waarin een willekeurige splitlevelpatio-woning een significante rol speelt. En als iemand erover schrijft, valt het op hoe negatief het beeld is. Altijd, *altijd* namelijk, wordt een nieuwbouwwijk opgevoerd om troosteloosheid uit te beelden, 'iets typisch Nederlands', 'burgerlijkheid', 'benepenheid', 'smakeloosheid' en vooral iets heel erg oninteressants. 'Rijen wanstaltige architectonische flaters, waar louter registeraccountants en gemeente-ambtenaren wonen': dat is het archetype van de nieuwbouwwijk in de literatuur. Mijn probleem is: ik heb twaalf jaar van mijn leven in zo'n buurt gewoond, te weten op het Gemmahof in de Dordtse wijk Sterrenburg 1, niet te verwarren met Sterrenburg 2, 3, 4 en 5 (waarvan de namen van straten en openbare voorzieningen allemaal te maken hadden met sterren of planeten). Als ik ooit tevreden of gelukkig ben geweest, was het toen. Geen kwaad woord over het rijtjeshuis, verdomme!

Ik word eerlijk gezegd nogal onpasselijk van 'herinneringenliteratuur', zeg maar de stukkies, verhalen, romans, ja zelfs hele oeuvres over de kinderjaren van schrijvers (omdat die vrijwel altijd uitmonden in een walmend nostalgisch geëmmer à la: 'Ik herinner me die rare Willem Bosmeester', 'Ik was een beetje bang van die viezerik van een Rob Broekman, die altijd torretjes en kikkers tussen zijn duim en wijsvinger kapotdrukte', of 'Henk Fortuin, die zo'n schrik bij ons inboezemde omdat hij twee jaar ouder was en een broer had die aan karate deed') en God beware me dat ik me daar ooit zelf aan bezondig, maar een mooi, integer en ingehouden verhaal over het zorgeloze opgroeien in een nieuwbouwwijk zou ik wel eens willen schrijven.

Wat ik met deze nogal overbodige uitweiding wil zeggen is dat ik qua seksuele voorlichting goed beslagen ten ijs kwam, of in elk geval dacht te komen, toen ik eenmaal de beschermende Sterrenburgse koestering verliet om via een stop in Soestdijk in de Grootstad Utrecht te belanden. Mijn leermeester en voorbeeld in de seksuele liefde Jonathan kwam er echter achter dat er mij als het ging om het repeterende gejeuk aan de spermacel-versneller nog wel het een en ander bij te spijkeren viel.

'Heb jij nog nooit porno gezien? Where have you been, man?' vroeg hij me een keer met grote ogen, toen ik eerlijk opbiechtte dat mij die bezoeking bespaard was gebleven. Waarom porno als je ook kleurentekeningen in de *Sextant* kon bekijken?

'Dat is niet goed,' zei Jonathan ferm en hij dacht na.

'Jij wilt zo graag schrijver worden, dan moet je ook van de dingen weten. Ik vind het in de ontwikkeling van iedere intellectueel onontbeerlijk dat hij in elk geval één keer porno heeft gezien,' ging hij verder, waarna hij me in het diepe gooide door me de opdracht te geven niet eerder thuis te komen eer ik een desbetreffend studieboek had aangeschaft bij de sigarenwinkel in onze buurt. Het opwindendst van porno vond ik eerlijk gezegd nog het *kopen* van porno. Eerst snuffelde ik geïnteresseerd tussen de puzzelboekjes in de hoop dat iedereen de winkel zou verlaten, maar toen dit niet gebeurde dook ik snel in het hoekje wanstaltige seksblaadjes om er nog sneller één porno-omnibus bestaande uit een *Pussy*, een *Claudia* en een *Tuk* uit te zoeken, en die bij een oude, onverstoorbare mevrouw af te rekenen samen met een *Gereformeerd Dagblad* en een *Hervormd Nederland* (om later te kunnen zeggen dat het allemaal maar een postmoderne grap was). Thuisgekomen deden Jonathan en ik het onderzoek samen waarna ik moest toegeven: porno was bovenmatig grappig. Die anatomisch ridicule houdingen; dat gelach in de lens van die meisjes die ondertussen aan twee of zelfs drie kanten gevuld waren; die jarenzeventigkleren, kapsels en ornamenten; die wijnglazen sperma over gezichten, borsten en kutten; die hitsige contactadvertenties van mensen die een trio of partnerruil wilden, of zich door groepen grootgeschapen negers wilden laten neuken: wat een humor allemaal, een ware uitbreiding van mijn begrippenapparaat voor het duiden en vervaardigen van literatuur.

En vervolgens kwam het sluitstuk van Jonathans missie. Hij werkte inmiddels in Amsterdam als voetveeg-in-opleiding bij Gauchos, een abattoir annex Argentijns restaurant. Op een avond dat hij vroeg klaar zou zijn, kwam ik bij hem voorproeven en zouden we samen teruggaan naar Utrecht. Toen we naar het Centraal Station liepen, stelde hij ter hoogte van de Munt voor om gezellig even langs de Wallen te lopen.

'Hè bah,' zei ik, want ik dacht dat hij een grapje maakte. De Wallen, dat leek me zo'n onderwereld. Slechts één keer in mijn leven had ik *live* de bedrijfsliefde mogen aanschouwen, dat was toen ik mijn oom en tante mijn kamer wilde laten zien en we verdwaald raakten langs de Vecht.

'Kijk nou eens,' zei mijn oom, terwijl we inmiddels in een langzaam rijdende file reden, 'daar staan allemaal etalagepoppen in die woonboten.'

'Etalagepoppen,' zei mijn tante, die haar bril ophad, 'dat zijn prostituées, Freek, *hoeren*.'

'Hoeren?' schrok mijn oom, die onmiddellijk zijn hoofd afwendde, 'hè, bah.'

Zo is het, hè bah! Het is natuurlijk hartstikke goed dat er vrouwen zijn die dit willen doen, en ze worden door het ranzige klein-kapitaal natuurlijk belazerd, mishandeld en uitgebuit terwijl ze juist *goed* werk verrichten en eigenlijk maatschappelijk werksters zijn en een functie vervullen en dus een rol in de maatschappij, leve de Rode Draad, maar aan ons lijf geen polonaise. In onze familie geldt: wij doen niet aan hoeren. Zo zit dat.

'Jezus!' riep Jonathan, toen ik hem vertelde dat ik nog nooit op de Wallen was geweest en zelfs die behoefte nooit had gevoeld, 'waar kom jij vandáán, man? Iederéén is wel eens op de Wallen geweest. Scheveningen, de Efteling, de Wallen: dat is een onlosmakelijke eenheid, dat hoort bij elkaar. Zelfs mijn opa en oma zijn wel eens op de Wallen geweest.'

'Nou, ik niet dus.'

'Dan wordt dat hoog tijd, volg me.'

'Nee!'

Voor het eerst sinds ik Jonathan kende, ondermijnde ik zijn natuurlijke leiderschap, wat op zich al genoeg reden was voor een erectie. Nee, ik ging niet naar de Wallen! Ik zei dat ik geen zin had om het gevaar te zoeken, om door een willekeurige pooier klakkeloos en zonder reden in elkaar geslagen te worden, dat hoorde je vaak genoeg! Mijn probleem is: ik heb klaarblijkelijk een hoofd dat er om smeekt geslagen te worden, overal waar ik kom gedragen mensen zich agressief en wil men mij letstel toebrengen. Misschien komt dit wel omdat ik het uitstraal een gelukkige jeugd te hebben gehad, of zo. Ik zag het me al gebeuren: ik loop over de Wallen, een klant wordt door een pooier naar buiten geworpen, ik vang die klant ongewild op, pooier komt klant achterna, misverstand, patspatspats, gekerm, ziekenhuis, gebroken kaak, litteken voor de rest van mijn leven. Vertel dat maar eens aan mijn ouders.

'Niks mee te maken, mietje,' zei Jonathan, 'ik ben toch bij je? En bovendien, die Wallen zijn helemaal niet onveilig, man. Die pooiers daar zijn juist de perfecte veiligheidsbeambten. Die laten zich nooit zien, behalve als er problemen zijn. Dan lossen ze dat zo even op. We hebben er niets te vrezen. Er lopen ook volksstammen bejaarden op de Wallen rond.'

Jonathan bleef maar doorzeuren. Hij trok alle registers open ('doe het dan voor je schrijverschap'). Er zat niets anders op: ik zou één keer in mijn leven over de Wallen lopen. Eerst wandelden we langs een of ander Universiteitsgebouw, toen Jonathan me in de verte het onheil wees. Vooralsnog maakte het niet bijster veel indruk. Waar wij liepen, stonden een paar politieagenten, wat op een of andere manier geen veiliger indruk maakte. Een stuk verderop, waar de Wallen begonnen, zagen we ook al agenten.

'Er is wat aan de hand,' stelde ik vast. Jonathan haalde zijn schouders op.

'Dat is niets, gewoon routine. Politie en pooiers zijn hier vrienden van mekaar, eerlijk.'

Hoe dichter we bij de Wallen kwamen, hoe meer politieagenten we nochtans zagen. Er was écht iets aan de hand. Er stonden arrestatiebusjes en we hoorden sirenes. Jonathan had dit ook door en versnelde zijn pas. Voortdurend rekten we ons uit om te zien wat er speelde. Nu hoorden we ook gescandeer en massaal geroep.

'Zou er een demonstratie zijn?' vroeg ik, 'een demonstratie van hoeren?'

Bij het betreden van de daadwerkelijke Wallen zag het blauw van de agenten. Er waren enorm veel verschillende uniformen te zien. Een gigantische vechtpartij, een volksoproer, stelde ik vast. De hoeren hadden natuurlijk massaal hun prijzen verhoogd en dit was slecht gevallen bij de klandizie. Moest ons weer overkomen. Uitgelaten zagen we de meeste agenten rennen over de Wallen. Waarheen? Waarvoor? Jonathan wees me en passant de peeskamertjes van de prostituées, maar de meeste rode lichten waren uit en bijna alle rolluiken gesloten. Ik heb geen vrouw gezien.

'Ik begrijp het ook niet,' zei Jonathan weifelend toen ik hem ter hoogte van de Bananenbar vroeg of hij soms wist wat dit te betekenen had.

We klampten een agent aan. Met een toeter in zijn hand en zijn pet scheef op zijn hoofd begon deze man te lallen: 'We voeren actie voor meer loon en betere arbeidsvoorzieningen. Wij zijn altijd de dupe omdat we niet mogen staken. Daarom willen we vanavond van de Wallen voor één keer de veiligste plek op aarde maken. We zijn hier nu met een mannetje of vijfduizend. Dit is beter dan staken!'

Nadat hij dit gezegd had, verdween hij in de hossende menigte. Met een steeds breder wordende glimlach keek ik Jonathan aan.

'Bedankt, Jonathan,' zei ik, 'ik ben blij dat ik vanaf nu kan zeggen dat ik er geweest ben, op de Wallen. Hoe heb ik eraan kunnen twijfelen? Geen moment zijn we in gevaar geweest. Dit is goed voor mijn schrijverschap. Nogmaals bedankt. Zullen we dan nu maar terug naar Utrecht gaan?'

Jonathan antwoordde niets, maar deed even of hij mij ging slaan.

De invasie van Amerika

Schiphol, vrijdag 24 juni 1994, reisdag

Toen mijn oma nog niet dement was, kon ze heel mooi vertellen hoe ze begin jaren zestig met het beruchte schip De Grote Beer meeging naar Lissabon voor die beruchte wedstrijd van Feyenoord tegen Benfica. Die bootreis is de geschiedenis ingegaan als de Eerste Grote Collectieve Nederlandse Uiting van Voetballiefde. Nog nooit was mijn oma zo bang als tussen de agressieve, bloeddorstige Portugezen, die alle Nederlanders verspreid over hun stadion hadden neergezet. Feyenoord verloor de wedstrijd godzijdank met 3-1, want anders waren de argeloze, trouwhartige Feyenoorders vast niet heel thuisgekeerd.

Dertig jaar later begeef ik mij in het kielzog van mijn oma. Ik heb de ongeloofwaardig prachtige uitnodiging geaccepteerd aan te monsteren bij het Oranjelegioen, voor wat de geschiedenis moet ingaan als: De Invasie Van Amerika. Een jongensdroom, een eens-in-mijn-leven-gelegenheid, een nobel cadeau van het Koninkrijk der Nederlanden, een bewijs voor het bestaan van de Schepper. Al mijn kennissen zijn jaloers en afgunstig dat ik het WK mag gaan zien op het 'allergrootste beeldscherm denkbaar', niet in de laatste plaats mijn cynische vriendin Arwen, die mij naar Schiphol brengt.

Ondanks de ontnuchterende bijna-vernedering tegen de Saoedie's een paar dagen geleden (een nipte 2-1), is het bij de incheckbalie van Martinair een gezellige totale chaos. Arwen zegt: 'Moet je kijken, volwassen mensen,' waarna ze vol overtuiging walgt. De Nederlandse supporters zijn al lang niet meer argeloos en trouwhartig zoals de Feyenoorders dertig jaar geleden: heden ten dage gaat de aanhang het Nederlands Elftal met alle mogelijke middelen zonder scrupules en zelfverzekerd naar het Wereldkampioenschap schoppen. We zien hoe vele vreemd uitgedoste trouwe belastingbetalers passerende Japanse toeristen de stuipen op het lijf jagen met gezang, klompengedans en een decorumloos gekrijs. De Japanners schieten honderden rolletjes vol en de Nederlanders poseren bijna kwijlend.

Met mijn oranje petje op sta ik er maar een beetje lullig bij. Ik ben incognito. Op mijn grijze Samsonite heb ik voetbalstickers geplakt om niet door de mand te vallen bij 'mijn nieuwe vrienden'. Ik, Ronald. Soldaat van Oranje. Niet dat ik zenuwachtig ben dat ik mij moet mengen in het Legioen, maar wel dat mijn maag knort, mijn broek hoest en mijn handen trillen. Wat zullen ze met me doen? Zullen ze mijn brilletje heel laten? Zullen ze me overhoren op mijn voetbalkennis? Zullen ze me laten voetballen? Zullen we ons gezamenlijk moeten verdedigen? Zullen we drinken, vele dagen lang?

Een oranje figuur op klompen klimt op een paar grote koffers om zijn gezelschap op te zwepen, maar hij verliest zijn evenwicht en pleurt naar de grond, uiteraard tegen mij aan. Hij roept (naar mij gebarend): 'We gaan voor de vierde hernia!' en ik roep al even uitgelaten terug: 'Ja!' waarna Arwen langzaam haar hoofd schudt en me genadeloos uitlacht. 'Zou die man weten hoe je "hernia" schrijft?' vraagt ze, niet eens fluisterend.

In het vliegtuig begint men later al vlug 'Hé buschauffeur, we gaan je bussie slopen' te zingen. Ja nee, dít zou Arwen leuk vinden.

Ik zit helemaal in de punt van de Boeing, duidelijk in de spits vandaag. Naast me zitten Ans en Peter, die me opgewonden de slagzin vertellen waarmee ze een WK-reis gewonnen hebben. 'Oranje en Oranjeboom, samen in het spelershome' luidt het regeltje wereldliteratuur, maar het kan ook zijn dat ze hun reis te danken hebben aan het eveneens door hen ingestuurde, na hun dood in hun grafsteen te beitelen adagium: 'Oranje en Oranjeboom, you'll never walk alone.'

Er blijken meer prijswinnaars in het vliegtuig te zitten, sterker nog, het is een beetje een bofkontjeskist. Ik ontmoet creditcardmazzelaars, frisdrankgelukkigen, Postbankgenodigden, verzekeringsrelaties en meer supporters die een WK-reis voor nop hebben kregen. Dit maakt de oranjewoede toch een beetje mat, want waarom zou je je uitsloven als je er niet voor hebt betaald? Toch wordt er achterin het toestel gezongen en zelfs houdt men een polonaise door de gangpaden. Hollands feestvieren. Ik begin te begrijpen waarom mijn oma dement is geworden.

Doordat het vliegtuig in een punt toeloopt, mondt de middelste stoelenbaan uit in slechts één stoel. Hierop zit Coen, en Coen is zo dik dat de stewardessen een extra seatbelt moeten vastmaken om hem eens lekker geil in te snoeren. Coens reisgenoten (gezette, oudgeworden, Amsterdams pratende schoffies) dopen deze extra seatbelt om tot een *coentje*. Als bij het begin van de vlucht (de humor hangt in de lucht: de captain heet Van de Vlugt) Rinus Michels namens Martinair de oranjegangers 'wlkm' heet en een 'bhdn vrt' wenst, roept Coen tot ieders hilariteit: 'Zwartwerker! Geef die man een sigaar!' Coen is de gangmaker kortom, het middelpunt van de festiviteiten, en al snel verzamelen alle dikke mannen uit het voorste gedeelte van het vliegtuig zich in het gangpad rond hem voor een Dikke Mannen Spoedoverleg. Ze bepalen vier dingen:

a. Johan Cruijff was de beste voetballer ooit
b. in Marokko en Saoedie-Arabië kunnen ze niet voetballen
c. in België kunnen ze niet voetballen
d. de drankvoorraad in dit vliegtuig is bedroevend

Met de alcoholvoorziening is het namelijk inderdaad droevig gesteld; al na drie rondjes zijn het bier en de wijn op. Wel serveert men oranje chocolade voetballetjes bij de koffie, wat een ontzettende hoop goedmaakt. Achterin het vliegtuig begint men, drank of geen drank, maar weer eens een polonaise.

Op het vliegveld van Orlando moet ik nu al scheiden van mijn nieuwe gezinnetje, want orangistische fellowtraveller als ik ben mag ik in geen van de uitgedoste supportersbussen op weg naar de supportershotels plaatsnemen, maar moet ik in mijn dooie eentje met een taxi naar een hotel op drie kwartier rijden van het vliegveld. Er zijn die dag zo'n achtduizend oranjefans vervoerd, dus het is logisch dat er bij een enkeling iets is misgegaan. Die enkeling ben ik, geachte vakantieman. Bij de balie van het hotel blijkt er geen kamer te zijn. De overvriendelijke receptioniste verwijst me naar het crisiscentrum van het reisbureau, dat goddank in hetzelfde hotel zit. Een half uur later probeer ik in de bar van weer een ander hotel contacten te leggen met andere Hollandse supporters, maar ze horen allemaal bij enge, kapitalistische bedrijven. Opvallend is dat je aan iemands uitdossing kunt zien hoe hoog hij in rang is: hoe hoger, hoe minder oranje. Een chauffeur kan het maken om er als een sinaasappel bij te lopen, maar een directeur herken je aan zijn subtiele oranje strikje.

Later die avond geeft een grote Nederlandse verzekeraar bij een van de zwembaden een feest met een reggaeband, maar de sfeer is er zo onweerstaanbaar gezellig en het aanbod vrouwen zo ultiem bescheten, dat ik vroeg ga slapen.

Orlando, zaterdag 25 juni, wedstrijddag België-Nederland

In vroeger tijden adopteerden mensen de namen van wilde, sterke dieren omdat ze hoopten dat ze iets van de kracht van die dieren zouden uitstralen. Dit is volgens mij dezelfde reden waarom in dit tijdvak zo veel mensen de kleuren van een sportclub dragen: als het Nederlands Elftal goed presteert en jij draagt een shirt in de kleuren van het Nederlands Elftal, dan ben jij eigenlijk een beetje het Nederlands Elftal.

Het Nederlands dertigduizendtal en ik begeven ons in alle vroegte op weg naar de Citrus Bowl voor de wedstrijd tegen de Belgen. De rit van mijn hotel naar het stadion duurt vijfenveertig minuten. Mijn taxichauffeur heet Luis en hij informeert of ik een supporter ben, wat ik gezien mijn outfit (oranje korte broek, oranje T-shirt met zwarte leeuw, Nederlandse vlaggen op mijn wangen en zo'n verbeten olé-blik in mijn ogen) nogal een domme opmerking vind. Luis is een groot liefhebber van voetbal, begint hij uit zichzelf, in Portorico heeft hij jaren lang in de eerste divisie gespeeld, en later in New York was hij zelfs beroeps.

'I've played against Johan Cruijff,' vertelt hij met opgewonden Spaans accent, 'and also against that other guy... William van Hewinggum.'

Ik knik geïnteresseerd en terwijl Luis de resterende drieënveertig minuten herinneringen ophaalt, denk ik na over het leven. Over waarom de ene voetballer eindigt als trainer van een topclub, en de andere als taxichauffeur in een stad die louter uit potsierlijke hotels en pretparken bestaat.

'In my opinion Cruijff and Van Hewinggum are the best footballplayers ever,' besluit Luis, met het oog op zijn fooi.

De wedstrijd begint pas om één uur, maar toch is het om half tien al redelijk druk bij het enorme stadion. Er is van tevoren gewaarschuwd voor erg strenge politiemannen die absoluut niet van hooligan-grappen houden, maar onderweg van het taxi-droppunt naar de Bowl word ik door een motoragent toch echt aangesproken met een intonatie die ik me alleen uit homodiscotheek De Roze Wolk herinner.

'Hai,' zegt de man.

'Hallo,' zeg ik, licht bevreesd voor een of andere bekeuring.

'I was wondering if you could help me,' gaat de agent verder, met zo'n Village People-smile. 'How do you say "Good morning" in Dutch?'

'Aah, that is "Goedemorgen",' antwoord ik vriendelijk (maar op mijn quivive, want voor je het weet, lig je over die motor te kermen van genot).

'Koedimorkin?' zegt de agent mij guitig na.

Ik steek mijn duim op.

'Koedimorkin,' zegt de man nog een keer, nu duidelijk als toenaderingsgeste naar mij. Zijn politieknuppel heeft hij schalks in zijn handen. Ik knik lachend en loop snel van hem vandaan, mezelf voor mijn hoofd slaand dat ik hem als vertaling van 'Good morning' niet 'Wie wil mij pijpen?' heb geleerd. Dat was leuk geweest, voor de grote groepen Nederlanders en Belgen die hij straks gaat verwelkomen.

Er is een groot feestterrein bij de Citrus Bowl, en gelukkig staat het psychologisch gezien al 1-0 voor de Hollanders, want oranje is de dominerende kleur. De stemming is ronduit mat, maar dat komt door de allesoverheersende hitte. Ik hoor iemand zeggen dat het honderdtwintig graden Fahrenheit is, maar dat bij deze temperaturen het verschil tussen Fahrenheit en Celsius toch niet meer merkbaar is.

Robert Long zong dat je moederziel alleen geboren wordt en je ook moederziel alleen weer sterft. In mijn eentje dwalend tussen de verschillende supportersgroepen, voel ik me ook best een beetje moederziel alleen. Af en toe klamp ik eens aan bij iemand, ik bedoel iemand uit Oss of zo, maar tot een werkelijk gesprek over de problemen van de wereld komt het nooit. Ik maak geen nieuwe vrienden. Er hangt namelijk toch zo'n sfeer van een kerstbestand in de loopgraven van de Eerste Wereldoorlog: alle soldaten weten dat ze zo dadelijk weer moeten strijden en dat ze waarschijnlijk niet levend zullen terugkomen.

Er lopen ook een paar Belgen rond, maar aan hen

ergert zich al helemaal niemand. Ik kom in contact met een vrindengroepske uit Gent (Gand) dat Herman Brusselmans blijkt te kennen. We hebben het erover hoe vre-se-lijk sportief iedereen zich tot nu toe gedraagt en hoe vre-se-lijk goed de sfeer is tussen de Ollanders en de Belgen. Na een tijdje vraagt een van de Gentenaren zelfs of ik hen 'zoud willen trekken'. Dit vind ik toch eigenlijk wel een beetje ver gaan voor een eerste ontmoeting, maar hij bedoelt: met zijn camera. Ik moet een foto nemen. We nemen vre-se-lijk vriendelijk afscheid van elkaar.

Twee uur voor de wedstrijd ga ik het stadion binnen. In de catacomben verkopen ze heel kapitalistisch water voor vier gulden per slokje. Ik praat met een groep Antillianen die aandoenlijk 'Leve de koningin' op hun T-shirts hebben staan, met twee Amerikaanse meisjes die Dennis Bergkamp 'so sweet' vinden (er stond vandaag een paginagrote foto van hem in *The Orlando Sentinel*) en met een totaal doorweekt echtpaar uit Nijmegen. Ze hebben een uur gestaan in de 'rainroom', een afkoelruimte waar verfrissende mistdruppeltjes over de sportliefhebbers worden gesprenkeld. Als ik een Nederlands dichter was, zou ik die rainroom uiteraard onmiddellijk tot metafoor bombarderen (op kosten van de hardwerkende samenleving). Zo'n rainroom zou dan een beeld zijn voor het schrijven van Poëzie, of voor Het Gedicht, of De Muze, of Het Leven (terwijl het natuurlijk eigenlijk gewoon een metafoor is voor Voetbal, 'omdat voetbal de mensen verkoeling schenkt in de verzengende hitte van het harde dagelijkse bestaan'). Gelukkig maak ik niet de fout om met iemand een gesprek over het schrijven van gedichten te beginnen.

In de catacomben loopt het langzaam vol. Het is te warm om te zingen en gezamenlijk olé te roepen, dus drinken we liters water en eten we ons maaggezwellen aan hotdogs en popcorn.

Ik blijk een zitplaats te hebben op de één-na-bovenste stoelenrij, op een paar meter afstand van de zon. Wat ik al een beetje vreesde geschiedt: mijn plaats op de bank is ingenomen door een hele dikke oranje man met een snor. En er zitten alleen maar hele dikke oranje mannen met snorren naast hem.

'Volgens mij is dit mijn plekje,' zeg ik aarzelend met het toegangskaartje nogal lullig in mijn handen. Ik bedoel: het ís mijn plek, dus waar hebben we het überhaupt over?

'Dacht ik toch niet,' buldert de man met een vrolijke tongval die het midden houdt tussen Gronings en Limburgs. Hierna lachen alle dikke mannen luid in hetzelfde accent. Nadat de landgenoten me een minuut voor lul laten staan, regelt de dunste van hen (met de kleinste snor) een plaatsje voor me, twee rijen onder mijn eigenlijke bank.

Ik kom te zitten tussen een groepje onvervalste salonsupporters. De *raison d'être* van de man links van me is dat hij een paar klusjes (zelf zegt hij 'klasjes') heeft gedaan voor de Postbank en als dank naar Orlando mocht, de man rechts 'stoeit wat met aandelen'. Als de Teletoeters (nog zo'n hoogtepunt in de beschaving die Nederlandse cultuur heet) aan de overkant hun repertoire inzetten, zingen ze voorzichtig en ongemakkelijk mee: 'Hap... Hulland... Hap...'

Dan begint de wedstrijd.

Ik heb in mijn leven twee gemoedstoestanden waarin ik duidelijk niet de cerebrale, zelfbeschouwende, ascetische, contemplatieve, cultuurcorrecte intellectueel ben die ik normaal voorwend te zijn. Dat is als ik klaarkom en als ik naar een voetbalwedstrijd kijk. Een beginfluitsignaal van een scheidsrechter werkt op mij als onrecht op de Hulk. Ik ben een ander mens in een stadion, daar schaam ik me dus niet voor. Op het veld heb je de dingen zelf mede in de hand; op de tribune ben je machteloos overgeleverd aan spelers die wel even de belangen van jouw team zullen vertegenwoordigen. Tijdens een wedstrijd kan ik van pure frustratie dan ook dermate buiten mezelf treden dat ik op onnavolgbaar grove wijze vloek en tier en ooh en aah, dat ik God luidop om onmogelijkheden smeek, dat ik ongemerkt meetrap met iedere pass van mijn spelers en dat ik duizenden 'nuttige aanwijzingen' over het veld schreeuw (nou ja, over het veld, over de eerste acht rijen voor me). Mijn vader kon zich vroeger vrolijk maken hoe ik als kind op de tribune van FC Dordrecht (later DS'79) met een piepstemmetje 'Pass!', 'Ga diep!' of 'Niet achter de man spelen!' krijste, waarmee ik ontegenzeglijk de loop van het spel dacht te beïnvloeden.

Net als iedere Nederlander in de Citrus Bowl, ben ik eigenlijk een beetje William van Hewinggum en weet ik alles beter. De schrijver Nick Hornby heeft beschreven hoe supporters altijd ontevreden lijken en voortdurend zwelgen in een genoeglijk gekanker op hun team. Ook bij de wedstrijd tegen de Belgen laten de Nederlanders geen spaan heel van hun Elftal, duizenden kilometers van huis of niet. Koedimorkin, wat speelt Oranje slecht, ongeïnspireerd en futloos, als je de tribune mag geloven. Het lijkt wel of ze het lekker vinden dat Nederland zo slecht speelt. Vooral Jan Wouters moet het ontgelden. Als België dan ook nog een doelpunt maakt, verpest Oranje het totaal. Een grootscheeps 'Laat de leeuw niet in zijn hempie staan' komt bij de voornamelijk uit klassesupporters bestaande oranje-aanhang niet op gang, wat de Belgische fans de gelegenheid geeft ongegeneerd feest te vieren. Zo blijven een paar Belgen in ons vak almaar juichen en vogeltjesdansen, tot een van de dikke snorren achter mij geërgerd roept: 'Ja, zo is het wel weer genoeg, Sjefke.' Geschrokken gaan de Belgen onmiddellijk zitten.

Bij de laatste aanval van Nederland (met een bal tegen de lat) maakt een Belg heel kunstzinnig hands met zijn wijs-, middel- en ringvinger, dat zien we zelfs vanaf de drie-na-bovenste stoelenrij heel duidelijk. Het levert niets op. Bij het laatste fluitsignaal ben ik mijn stem kwijt, een illusie armer, een vernedering rijker en een paar kilo lichter. In de overvolle catacomben zingen de Belgen uitgelaten overwinningsliederen. Ze roepen: 'O, wat zijn die Keesjes stil,' en ze doen net of voetbal heel belangrijk is.

In de psychologie is het een bekend gegeven dat mensen negatieve informatie van buitenaf filteren om het positieve zelfbeeld te behouden. Zo kan men plagerijen en geroddel onbewust niet tot zich door laten dringen. Wordt het zelfbeeld echter onherroepelijk verstoord (zeg maar wanneer je geliefde voetbalclub verliest), dan treedt er een mechanisme in werking om de negatieve informatie in een ander licht te stellen. Men zegt dan bijvoorbeeld dat men liever goed speelt en verliest, dan slecht speelt en wint. Dit mechanisme noemen we *cognitive drift*.

Met een aan zekerheid grenzend vermoeden dat hij zich van dit mechanisme niet bewust is, hoor ik hoe een Nederlander als antwoord op het pesterige gezang van de Vlamen terugroept: 'Het was maar een spelletje, hoor.' Ook wordt er her en der besloten dat het verlies tegen de Belgen eigenlijk heel gunstig is, omdat we zo een makkelijkere tweede ronde treffen.

Bij de taxi-oppikplaats blijkt de *cognitive drift* bij een heel mooi Rotterdams meisje met een tatoeage op haar rug toch niet zo heel erg te werken. 'Ik wou dat die gore tyfuskankerklootzakken eens een behoorlijke wedstrijd speelden,' zegt ze somber, 'en dat die gore tyfuskankerklootzakken van een Belgen er in de volgende ronde uitgetyfuskankerflikkerd worden.'

Terug in het hotel waar ik oorspronkelijk had moeten verblijven, doe ik verwoede pogingen het supportersverzamelpunt in Church Street te bereiken, maar het verkeer in Orlando zit muurvast en de snelwegen potdicht. Ik sluit me aan bij een grote groep supporters die een van de swimmingpool-bars van het hotel heeft geannexeerd. Er vindt een beschaafde verbroedering plaats tussen Hollanders en Belgen, totdat de Walen zich verenigen en liederen gaan brullen. Ik probeer met een van hen nog een gesprek te beginnen, maar zijn Vlaams is te onbegrijpelijk en mijn Frans te beschaafd, dus dat loopt op niets uit. De meeste Nederlanders gaan vroeg naar hun hotelkamer. Moederziel alleen doezel ik op mijn tweepersoonsbed in slaap.

Zondag 26 juni, rustdag

Aan de rand van het zwembad voor mijn kamer, met een lekkere koele Bacardi die cirkelt in mijn glas, de weldadige zon op mijn huid, een paar mooie jonge vrouwen op bespiedafstand en een goed boek plus een zak Amerikaanse zoutjes binnen handbereik, baal ik enorm. Echt waar, ik baal zo erg dat ik nog almaar geen échte supporters heb ontmoet. Wel heb ik prijswinnaars, kakkerige genodigden, studenten die in Amerika verblijven, entomologen, zakenlieden, bescheten echtgenotes en journalisten gesproken, maar mannen die vier jaar lang elke dag een frikandel speciaal uit hun mond hebben gespaard om hier in Amerika hun landje te kunnen steunen, ben ik nog niet tegengekomen. Ik wil weten waar ze zich ophouden, de echte supporters, wat ze buiten de wedstrijden doen, hoe ze verlies incasseren, wat ze van Amerikanen vinden, wat Amerikanen van hen vinden, hoe ze met supporters van andere landen omgaan, wat en waar ze eten, dat soort dingen. Een taxirit naar het meetingpoint in Church Street kost echter dertig dollar en er gaat 's avonds pas een goedkoper busje in die richting. Met andere woorden: ik zal me dus in de zon moeten blijven wentelen in mijn noodgedwongen nutteloosheid. Dat zijn dan van die tegenslagen die er blijkbaar bij schijnen te horen.

Wachtend op mijn shuttle naar het centrum van Orlando sluit ik me een paar uur later in de bar van het hotel aan bij een groepje Ierse supporters, muzikanten uit New York. Ze wachten op hun vertrek naar huis voor hun laatste match tegen Noorwegen, en ze praten met me over The Group of Death. Eerst denk ik dat dit de naam van hun band is, maar het blijkt dat ze daarmee de poule bedoelen waarin Ierland speelt.

Terwijl ik later op een van de veertien televisieschermen boven de sportsbar de wedstrijd Amerika-Roemenië probeer te volgen, komen er twee mannen naast me zitten die (eindelijk! eindelijk!) 'echte supporters' blijken te zijn: vader en zoon Lanting uit Houten. Zij volgen het Nederlands Elftal al sinds '88 en ze zijn zelfs als twee van de weinige Nederlanders bij de beruchte halve finale tegen Duitsland geweest (die we geloof ik gewonnen hebben).

Als ik vertel dat ik in mijn eentje reis, vinden ze dat eigenlijk een beetje raar, maar zodra Vader Lanting hoort dat ik over dit WK ga schrijven, begint hij enorm tekeer te gaan.

'Het is godverdomme een schande, ja?' zegt hij met vuur in zijn ogen.

Ik kijk hem geschrokken aan. Zou hij mijn boeken kennen? Is hij boos dat ik over het WK ga schrijven?

'Een schande dat het Nederlands Elftal gistermiddag godverdomme niet de beschaafdheid had na afloop van de wedstrijd het publiek te bedanken, ja? Er zitten daar godverdomme toevallig wel dertigduizend landgenoten, ja?'

Hij wacht luid door zijn neus ademend op mijn reactie.

'Ja,' antwoord ik aarzelend.

Oeps, Vader Lanting kijkt mij nu dus echt heel boos en heel priemend aan. Heb ik iets verkeerds gezegd?

'Die godverdomme speciaal de moeite hebben genomen om veel geld uit te geven en het Elftal te steunen. En daar denken ze godverdomme niet aan, ja?'

'Ja,' probeer ik nogmaals.

'Maar in Lake Nona vullen ze wel hun zwembaden met champagne, ja? Want zo is het wel. Ze hebben allemaal spatjes, die zogenaamde vedetten. Ze hebben godverdomme allemaal spatjes. Maar aan de mensen denken ze niet, ja?'

'Ja,' zeg ik, langzaam in het gesprek rakend.

'Onder Cruijff was dit niet gebeurd, dat zeg ik je.

Die had ze godverdomme opgedragen dat ze het publiek moesten bedanken. Dat had hij ze *opgedragen*. Hij had ze gewoon niet meer opgesteld als ze het publiek niet hadden bedankt, ja?'

'Ja.'

'Vooral die Wouters en die Koeman, die had hij er godverdomme gewoon uitgegooid als ze het publiek niet hadden bedankt, ja?'

'Ja.'

'Of niet soms, ja?' besluit hij woedend, waarna hij zich weer naar Amerika-Roemenië draait.

'Daar moet je godverdomme eens een stukje over schrijven, ja?' voegt zijn zoon eraan toe, met een al even priemende blik in zijn ogen.

'Ja!' roep ik, nu helemaal door het dolle, blij dat ik eindelijk een goed gesprek met echte supporters voer.

Helaas moet ik hen alweer verlaten om met een shuttle naar Church Street te gaan, het beruchte centrum van de Orlandese supporterfestiviteiten. De reis duurt ongeveer drie kwartier, en ik verwacht heel wat van *downtown Orl.* Toch valt het qua grootte behoorlijk tegen. Church Street is echt niet imposanter dan een feeststraat als de Korte Heuvel in Tilburg. Is dit nu het uitgaanscentrum van een enorme stad?

Kijk, ik mag dan al achtentwintig zijn, maar dat wil natuurlijk niet zeggen dat ik bij de Ierse pub Sweeney Todd's van de posterende politieagenten niet gewoon mijn ID moet laten zien, net als iedere andere minderjarige. Schoorvoetend word ik uiteindelijk toegelaten. Aan de bar ga ik zitten naast een groepje dikke, witte Ieren. Overal hangen aankondigingen dat het bekende Ierse biermerk Heineken na ieder Nederlands doelpunt in de WK 50% toelegt op de prijs van een *draft* Heineken.

'Heineken heeft het Nederlands Elftal gisteren gewoon omgekocht om zo weinig mogelijk te scoren,' zegt een dikke Ier tegen mij, 'dat was uiteindelijk veel goedkoper dan om ze hier voor de halve prijs te laten drinken!'

Ik lach en de Ieren bieden mij een bier aan, en ik bied later de Ieren een bier aan, en als ik nog weer later vertrek, maakt een van de Ieren de grap over Heineken nog een keer.

Een stuk verderop ontmoet ik mijn toekomstige stamcafé: The Hown At The Moon Saloon, een volslagen gestoorde kroeg waar twee tegenover elkaar gezeten *stand up* vleugelpianisten het publiek opzwepen en belachelijk maken. Ze spelen elk verzoeknummer denkbaar en met zaklantaarns wijzen ze argeloze gasten aan om op het podiumpje met hen mee te komen zingen. Wie dit niet durft of zich anderszins vervelend gedraagt, krijgt van de pianisten en het uitzinnige publiek de Officiële Hown At The Moon Saloon Fuck Off-Yell: het door iedereen uit volle borst meegeschreeuwde 'You've picked a fine time to leave me, Lucille! You bitch! You slut! You whore!'

Ja, ik voel me er onmiddellijk thuis. Er zijn veel Nederlandse supporters en voor ik het weet heb ik vrienden voor het leven gemaakt met Andy en Bertrand (twee wereldreizigers die de wedstrijd tegen België hebben gemist omdat hun pickup-truck kapotging) en met Marcel en Dick (twee geschoolde werkbouwtuigkundigen uit Maarssen). Volgens Andy doet Bertrand al de hele avond pogingen een serveerster te versieren, maar net als Bertrand haar naar eigen zeggen bijna tot een *date* heeft verleid, roepen de twee pianisten al het personeel op naar het podium te komen, de piano's te beklimmen en de Officiële Hown At The Moon Saloon Fuck Off-Dance te demonstreren (een soort obscene vogeltjesdans voor volwassenen). Iedereen in de kroeg gaat uit z'n bol en met z'n vijven doen we dolenthousiast mee.

'Zo'n tent hebben we toch in Maarssen niet,' hoor ik Marcel glunderend tegen Dick roepen. Als ik een paar uur later wegga, krijg ik van de pianisten de Officiële Hown At The Moon Fare Well To The Dutch-Yell: 'You've picked a fine time to leave me, Lucille! You bitch! You slut! You whore!'

Maandag 27 juni, zingdag

Mijn kater lig ik uit voor de televisie, kijkend naar Amerika's favoriete sport van dit moment: het gerechtelijk vooronderzoek naar de moord op de ex-echtgenote van de football-hero O.J. Simpson (die de hoofdverdachte is). Zes kanalen brengen precies hetzelfde live-verslag, dat is dan wel weer een nadeel van een kapitalistisch systeem.

'S Middags zet ik mijn onverbiddelijke strooptocht naar supporters voort. Bij de poolbar Tropical Isle sluit ik vriendschap met een paar Engelsen wier namen ik meteen vergeet. Over echte voetbalfans gesproken: zij volgen dit wereldkampioenschap van de eerste speeldag tot en met de finale, hoewel Engeland niet eens meedoet.

Ons hotel begint zo langzamerhand behoorlijk gevuld te raken met Hollandse supporters. Redelijk tipsy van mijn gesprek met de Engelsen, ontmoet ik in de sportsbar een Geldermalsens driemanschap op klompen: Joop (vader), Mark (zoon) en Gerard (vriend van zoon). Naast hen zit Douglas (Amerikaanse accountant die in Orlando een conferentie bijwoont). Terwijl Douglas Mark en Gerard uithoort over soccer, *wooden shoes* en windmolens, brengt Joop me op de hoogte van de voetbalclubgeschiedenis van het plaatsje Tiel. Het klinkt wonderlijk, maar van de voetbalclubgeschiedenis van het plaatsje Tiel wist ik dus werkelijk helemaal niets, en ik had zelfs nooit kunnen bevroeden dat ik mij nog eens voor de voetbalclubgeschiedenis van het plaatsje Tiel zou interesseren. Joop weet me echter met prachtige verhalen warm te maken voor deze fascinerende materie. Er blijken namelijk in Tiel Londonderry-achtige taferelen te hebben plaatsgevonden, met twee voetbalclubs die elkaar van oudsher niet konden luchten of zien: TEC en Theolen. De onderlinge haat ging zover dat het dorp erdoor gescheiden werd: zo kochten Teccers niet in winkels van Theolers en andersom. Kijk, als daar geen trilogie in zit, weet ik het ook niet meer.

Joop vertelt dat hij op een zondag geboren werd en dat zijn vader hem al een paar uur later bij TEC aanmeldde als lid. Toen zijn vader de volgende morgen op het stadhuis Joop bij het bevolkingsregister ging inschrijven, en de Theolener ambtenaar om de naam van de baby vroeg, hoefde Joops vader slechts glimlachend de inschrijfkaart van TEC te overhandigen en er fijntjes aan toe te voegen: 'Schrijf de naam hier maar van over.'

Met andere woorden: Joop was eerder lid van een voetbalvereniging dan dat hij Nederlands staatsburger was, dat wil toch wel wat zeggen, vind ik.

Inmiddels wordt het later in de middag, ja wordt het zelfs 's avonds en hebben we nog almaar niets gegeten en louter gedronken en niet zo weinig ook, en Joop is de enige die een hamburger bestelt, maar Mark en Gerard laten de ene draft na de andere aanrukken en ze wijzen op Douglas en ze zeggen in het Nederlands samenzweerderig tegen mij: 'We gaan hem dus helemaal katjelam voeren, hij gaat er helemaal aan vanavond!' waarop ik mijn glas omhoog houd om dat met een toost te verwelkomen, niet beseffend dat ze over mij waarschijnlijk ook zoiets hebben gezegd, van dat katjelam voeren, bedoel ik.

En waar ik een beetje natte angstdromen van heb gehad, komt eindelijk uit. Op dreigende aankondigingsbiljetten las ik dat het *late night entertainment* in deze sportsbar iedere avond verzorgd wordt door 'the delightful Connie Brown', en ik heb me al dagen in bange afwachting zitten afvragen wat dit in godsnaam te betekenen heeft. Krijgen we jazz? Een goochel-act? Een buikspreekpop? Striptease? Een anale *gangbang*?

Frits van Egters zei al dat niets zo erg is, of het kan nog erger. Gerard en Mark hebben net het zoveelste rondje besteld als de showlichten op het podiumpje aanfloepen, de ronde discobal begint te draaien, de serveersters een paar mysterieuze zwarte boeken ronddelen, en uit het niets de delightful Connie Brown haar opwachting maakt. Nu vind ik dat je als weldenkend mens in een postmoderne samenleving de intellectuele kracht moet opbrengen uit alles zinsbevrediging te putten, maar voor karaoke maak ik graag een uitzondering. Sushi's? *Soit*. Harakiri? Goed dan. Maar karaoke? Niet oké. Ik ben echter geloof ik de enige die er zo over denkt, want in de bar storten de verzamelde voetbalfans, Nederlandse sportjournalisten en Amerikanen zich op de zwarte boeken om waanzinnig opgefokt liederen uit te zoeken. Een groep Engelsen zingt onder luide aanmoedigingen 'Lola' van The Kinks, een Iers echtpaar krijst dat oude vriendschap niet moet worden vergeten, een Amerikaans meisje verkracht opmerkelijk creatief Witney Houston, de sportjournalist Ugo Camps doet 'Crying' van Roy Orbinson, en een onvervalste Feyenoorder mag twee nummers van Elvis Presley compleet verrotterdammen. Tussen dit muzikale geweld riedelt de delightful Connie Brown haarzelf af en toe ook een mopje. Dan blijkt dat ik waarschijnlijk even iets gemist heb, want na een half uur durend songfestival voor dronken afasiepatiënten roept Connie 'The Dutch Group' naar voren.

'Dat zijn wij!' roept Gerard verrukt, en hij trekt Douglas en mij van onze krukken, voor wat de geschiedenis moet ingaan als: De Invasie Van Het Podium. Wij?

'Ja maar...' stamel ik, hoewel dit geen enkele indruk maakt, want Mark heeft mij inmiddels bij mijn rug gegrepen en hij duwt me voor zich uit. Joop blijft wijselijk op zijn kruk zitten. Goddomme, een kwart minuut later staan we in de verrotte schijnwerpers: twee oranje fans op klompen, een oranje schrijver en een bezopen Amerikaan. The Dutch Group.

Lieve Arwen, waarde ouders, beste vrienden, geachte vakantieman, mag ik *just for the record* even duidelijk aantekenen dat ik niet wist dat Mark en Gerard mij bij hun groep hadden ingelijfd en dat ik nooit uit eigen beweging heb meegezongen met 'I did it my way', 'Paradise by the dashboardlight' en 'You'll never walk alone', hoewel ik moet toegeven dat ik wel de longen uit mijn lijf heb geschreeuwd. Het spijt me vreselijk. Is het nu uit tussen ons, Arwen?

Na afloop van ons concert stijgt er in de bar een eclatant applaus op. Ik krijg bijna een rolstuip van schaamte als ik bij het verlaten van het podium van de delightful Connie Brown drie cassettebandjes in mijn handen krijg gedrukt met opnames van ons optreden. Opnames voor onze live-cd.

'Ah, mogen wij die hebben?' vragen Mark en Gerard enthousiast en ze ontfermen zich over de bandjes. En dat vind ik later, in bed, met een hoofd tollend van drank en toonladders, misschien wel het allerangstaanjagendst: dat zich ergens in Geldermalsen bewijsmateriaal bevindt waarop onomstotelijk te horen is dat ik heb meegezongen met karaoke. Dat ik supporter ben geweest onder de supporters.

Of het Mark en Gerard overigens nog gelukt is om Douglas katjelam te voeren, heb ik niet meer meegemaakt. Niet meer bewust althans.

Dinsdag 28 juni, Grote Verzoendag

Na de hele dag voor de televisie maar weer eens te hebben ge-oojeesimpsond, ga ik 's avonds met de shuttle naar Church Street. Morgen speelt Nederland tegen Marokko en dus is er een grote 'evening-before streetparty' met een optreden van het smartlappenorkest Hollands Verdriet. Er zijn ongeveer drieduizend Nederlanders en er hangt een irritant wij-zullen-deze-planeet-wel-eens-even-laten-zien-wat-feestvieren-is-sfeertje. De liedjes van het bandje zijn echter inderdaad om te huilen, en het feest komt niet van de grond. Nee, dan ga ik liever naar mijn Hown At The Moon Saloon om me te herenigen met Andy, Bertrand en the Maarssen connection. Uiteraard word ik er verwelkomd met een gemeend 'You bitch! You slut! You whore!', maar helaas zie ik mijn kennissen nergens. Ik ga zitten naast een man die iets als oud-onderbonds-districtbestuurder van de KNVB blijkt te zijn, of zoiets. Als hij hoort dat ik een verhaal over het WK ga schrijven, zegt hij geheimzinnig dat ik moet 'oppassen'.

'Oppassen waarvoor?' vraag ik.

'Voor de KNVB,' zegt hij, 'maar nu heb ik eigenlijk al te veel gezegd.'

Ik kijk hem verbaasd aan en vraag hoe hij heet, maar hij wil zijn naam niet zeggen.

'Het gaat niet om namen,' zegt hij (met de 'come here, give me a kiss'-intonatie van Marlon Brando), 'het gaat erom dat kaartjes veel voordeliger via de Belgische voetbalbond te verkrijgen zijn dan via de Nederlandse, het gaat om grootscheeps geldverdienen over de ruggen van nietsvermoedende supporters, het gaat om schandalige praktijken van de reisorganisatie, het gaat om nog veel meer. Maar als ik jou was, zou ik me goed bedenken eer je die dingen opschrijft.'

'Bedoelt u dat er sprake is van een soort *KNVB-gate?*' vraag ik. De man legt zijn hand op mijn rug en zegt: 'Nee, ik kan maar beter niets meer zeggen. En ik kan beter weggaan, want anders praat ik mijn mond toch weer voorbij.'

Hij verdwijnt, maar ik krijg de kans niet om over deze wonderbaarlijke ontmoeting na te denken, omdat een vadsige oranje collega-supporter in mijn richting schreeuwt: 'Hoe dichter bij Dordt, hoe rotter het wordt!' Dit slaat op mijn T-shirt, waarop de naam Dordrecht prijkt. Toen ik de opmerking 'hoe dichter bij Dordt, hoe rotter het wordt' voor het eerst hoorde, poepte ik mijn wiegje helemaal onder van het lachen. Ook de vadsige fan schiet in een ultieme kwijlepilepsie van de lol. Samen met een identiek aanhangsel komt hij gezellig in mijn richting waggelen. De twee jongens lijken een beetje op de dikke en de dunne, maar dan twee maal de dikke. Bulle en Bukke doop ik hen. Vriendelijke jongens, daar niet van, maar het is jammer dat ze vreselijk stinken. Vooral Bulle ruikt naar zweet, drank en een afschuwelijk soort oksel-glorix. En jammer is ook dat Bulle en Bukke net als de meeste supporters enorm handtastelijk met elkaar omgaan. Dat is me de afgelopen dagen opgevallen: hoe snel supporters handen op elkaars ruggen, schouders of armen leggen, hoe makkelijk ze iemand omhelzen of even liefdevol tot gort knijpen. Zo zouden schrijvers ook eens met elkaar om moeten gaan, vind ik. Ik kan me niet aan deze lichamelijke vrijpostigheid ergeren, maar in het geval van Bulle en Bukke toch weer wel, want hoe vaker Bulle lodderig tegen me aan komt staan, hoe meer ik voel dat zijn geur in mijn kleren trekt.

Bulle en Bukke noemen me 'professor', omdat ik een brilletje draag. Volgens Bulle is 'iedereen met een brilletje een professor,' waarna hij weer vreselijk om zichzelf moet lachen. Na een half uur hou ik de ondraaglijke stank die van Bulles lichaam walmt niet meer uit, en geef ik de Officiële Hown At The Moon Fuck Off To The Dutch-Yell. Bukke roept me nog iets goedbedoeld onaardigs over Dordrecht na.

Later op het feestplein, als ik sta te praten met een van de vier Nederlandse politieagenten die met het Legioen meereizen, zie ik Bulle en Bukke weer. Ze staan als twee van de weinigen luid en gelukzalig mee te schreeuwen met het nummer 'Heideroosje' van de Hollandse feestband. De agent heeft me net verteld dat er ongeveer vijftig *diehard*-relsupporters zijn meegereisd, maar dat ze zich tot nu toe rustig hebben gehouden. Hij zegt het niet met zo veel woorden, maar het is duidelijk dat het schreeuwende dikke tweetal voor ons tot deze amokmakers behoort. Ik weet nu dat ik in navolging van de journalist Bill Buford vriendschap zal moeten sluiten met Bulle en Bukke (net als Buford dat gedaan heeft met het tuig van Manchester United), maar ik kan het niet opbrengen me nog een keer tussen de stank te begeven.

In de shuttle terug naar mijn hotel ruik ik voortdurend de wc-eend van Bulle in mijn kleren, en ben ik bang dat de andere reizigers denken dat het van mij komt.

Het is al half een 's nachts, maar ook in de sportsbar van het hotel wordt de wedstrijd tegen de Marokkanen met veel drank voorbeschouwd. Mijn Geldermalsense karaokevrienden verwelkomen me uitbundig. Er heeft zich een kerkje oranje geloofsgenoten gevormd met, naast Gerard en Mark, twee jongens uit Schijndel en twee HTS-studenten uit Purmerend. De groep wordt aangevuld door drie geile Schotse meiden die in Orlando op vakantie zijn.

De Schijndelse boys zijn eigenlijk lid van de Schijndelse hockeyvereniging Hopbel ('Bier in glas' aldus een van hen), maar ze houden ook van voetbal. En van bier. En van Schotse meisjes. En, net als de Geldermalseners en Purmerenders, van Ajax. En van ironie (want ze vrezen dat als Nederland tegen Marokko speelt, Nederland voor één dag gelegitimeerd racistisch zal zijn. 'Weg met Marokkanen,' zegt de een ironisch. 'Marokko boehoe!' antwoordt de ander ironisch).

Aan de andere kant van de bar zit een groepje Feyenoorders, en ik ben inmiddels alweer op een punt beland dat ik zo veel bier heb gedronken dat ik waanzinnig realistisch besluit dat het met die Nobelprijs voor Literatuur voor mij wel los zal lopen. Dan maar een Nobelprijs voor de Vrede! Het is raar: iedere aanhang van ieder team gaat hier in Orlando voorbeeldig met elkaar om (de Mexicanen met de Ieren, de Hollanders met de Belgen, de Ieren met Hollanders, en alle andere mogelijke combinaties), maar er zijn twee groepen supporters die niet met elkaar te verbroederen zijn: de Ajacieden en de Feyenoorders. Hier moet verandering in komen, besluit ik.

Ik loop naar de Rotterdammers en ik vertel dat mijn oma nog meegeweest is met het beruchte schip De Grote Beer voor die beruchte wedstrijd tegen Benfica. Zoiets schept een band natuurlijk. Ook mijn T-shirt met Dordrecht erop wekt vertrouwen. We hebben het erover dat het zo jammer is dat Dick Advocaat Henk Fräser niet heeft geselecteerd. Voorzichtig vraag ik of de Feyenoorders al kennis hebben gemaakt met de Ajacieden aan de andere kant van de bar. Dat hebben ze niet, en dat hoeven ze ook niet.

'Ja maar, zij zouden zich wel graag met jullie verbroederen,' lieg ik om bestwil, 'we zijn hier tenslotte voor een gezamenlijk doel. We zijn één volk, of niet soms?'

De Rotterdammers overleggen.

'Als ze willen verbroederen, mogen ze komen,' zegt een van hen, zogenaamd ongeïnteresseerd. Kijk, dat is een uitspraak waarmee Butros Giphart uit de voeten kan. Ik ga naar de Gelderpurmerschijndelers en zeg: 'Hé jongens, er zitten daar een paar Feyenoorders, en die willen zich graag verbroederen met Ajacieden.'

De Ajacieden kijken eens naar de Rotterdammers.

'Waarom zouden we ons met Feyenoorders verzoenen?' zegt Mark tegen het groepje, 'er speelt er toch maar eentje in het Nederlands Elftal?'

Het groepje lacht uitbundig om deze opmerking.

'Ah jongens,' zeg ik vergoelijkend, 'we zijn hier tenslotte voor een gezamenlijk doel. We zijn één volk, of niet soms?'

Schouderophalend horen ze dit argument aan.

'Laat ze maar hier komen en dan kunnen we er alsnog over nadenken,' zegt Gerard. Ik voel me een beetje Lord Owen als ik vervolgens weer naar de Rotterdamse deelrepubliek waggel.

'Ze willen jullie heel graag ontmoeten,' onderhandel ik voorzichtig, 'maar ze zouden het leuk vinden als jullie naar hen toekomen.'

'Geen sprake van,' roepen de Rotterdammers, 'zij willen toch zo heel erg graag verzoenen? Ze komen maar naar ons, en anders gaat het hele feestje niet door. We zitten niet op hen te wachten, als je dat soms denkt.'

'Als ik nu...' begin ik, een briljante Camp David-gedachte onder woorden brengend, 'als ik nu *in het midden van de bar* een rondje neerzet? Dan lopen jullie daarheen, dan komen de Ajacieden ook daarheen, en dan kunnen jullie je op die plek met elkaar verbroederen.'

Kijk, nu ik eenmaal het woord 'rondje' heb gebruikt, weten de Rotterdammers dat het met mijn integriteit wel goed zit. Ook de Ajacieden doe ik even later mijn voorstel. Ze maken even nog wat problemen over wie er als eerste naar het midden van de bar moet lopen, maar ze zien wel in dat het Verdrag Van Orlando niet op zo'n detail hoeft mis te lopen.

Een spanningsvol moment: voor een paar duizend dollar laat ik in het niemandsland van de bar bier en baco's neerzetten. Zullen de verschillende supportersgroepen zich aan hun toezeggingen houden? Zowel de Ajacieden als de Feyenoorders kijken naar de drank en naar elkaar. En dan beginnen ze, aanvankelijk nog beducht op *snipers*, rustig maar op hun hoede naar mijn rondje te schuifelen. Ik sta er op een afstandje bij. Het duurt een paar seconden eer de beide groepen tegenover elkaar staan, maar het lijkt een halve avond. Dan – o, het is zo mooi! – lijken alle problemen uit het verleden voorgoed verdwenen. De supporters pakken allemaal een drankje en ze geven elkaar een hand, ja, ze omhelzen elkaar zelfs. Ajax omhelst Feyenoord, Feyenoord omhelst Ajax, sport verbroedert, omnia vincit amor. Wat er verder nog moge gebeuren: dit WK kan niet meer stuk. Bedankt Ronald, bedankt dat je met gevaar voor eigen leven de bijna eeuwigdurende controverse tussen de twee Nederlandse topclubs eindelijk hebt beslecht. Nederland is weer één volk.

Woensdag 29 juni, wedstrijddag Marokko-Nederland

Amerika is wel een kapitalistisch land, hè? De voedselverkopers in de Citrus Bowl bedenken de wildste dingen om hun koopwaar aan de man te brengen. Op achttien Marokkanen en een honderdtal Amerikanen na, draagt iedereen in het stadion vandaag een oranje petje en een T-shirt met Holland erop. De verkoop van lekkernijen is hierop afgestemd. 'Pizza's from Holland' roept een jongetje met een warmhoud-draagtas. 'Real Dutch hotdogs,' schreeuwt een ander.

Vlak voor de wedstrijd maak ik in de catacomben een collect call met mijn stamcafé De Knipoog in Utrecht, voor een live-verslag van de sfeer in het stadion en hoe waanzinnig oranje en waanzinnig uitgedost de supporters er weer bij lopen (met T-shirtteksten als '*And as a finishing touch, God created the Dutch*' en '*We are orange, we are white, we are fucking dynamite*!'). Zo te horen is het in Utrecht al net zo'n uitzinnige smet op de menselijke waardigheid als in Orlando, Florida, USA.

Na het telefoongesprek krijg ik een acuut angstgezwel als ik achter me plotseling 'Hé professortjo!' hoor roepen en mijn vrienden Bulle en Bukke me op mijn schouders beginnen te slaan. Koedimorkin, zei ik dat de jongens gisteren misschien stonken? Welnu, die geur was dus echt parfum vergeleken bij de rookbom van stank die zij vandaag verspreiden. Mijn onmiddellijke reactie is dat ik de Almachtige Voetballer begin te verzoeken Bulle en Bukke alstHemblieft niet naast me te laten zitten op de tribune. Deze bede wordt verhoord. Wel maakt Bulle nog even vlug een paar grappen over Dordrecht.

Op de tribune zit ik naast twee Brabantse jongens die ik in Church Street al eerder heb gezien. Het zijn gangmakertjes, en gedrieën proberen we het publiek op te zwepen tot zingen en handgeklap. Het is echter nog steeds ontzettend warm, te warm om te klappen, te zingen, laat staan om te voetballen.

Dan begint de wedstrijd.

Ik heb ooit eens aan mijn vader van jongen tot man gevraagd wat een orgasme was. Mijn vader dacht even na, stak een sigaretje op en zei dat dat een gevoel was alsof je héél héél erg nodig moest plassen en dat je dan eindelijk mocht. Zo is het met een doelpunt ook een beetje. In de twintigste minuut scoort Dennis Bergkamp 1-0, en kan het oranjepubliek eindelijk eindelijk eindelijk juichen. Eindelijk waar voor ons geld. En zoals een orgasme gepaard gaat met enige mate van zelfverlies (ik mag anders graag even iemand ongemerkt kelen of de lakens onderschijten als ik klaarkom), zo weten de meeste supporters ook even niet wat ze doen als er een bevrijdend doelpunt valt. We staan op de banken. We omhelzen elkaar. We tillen elkaar op. We schreeuwen oerkreten tot we met dubbele klaplongen achterover storten.

Als ik langzaam ontwaak uit de verdoving die een doelpunt heet, is de wereld anders geworden: vrolijker, uitgelatener, oranjeëer. Het Nederlands Elftal blijft voetballen als een bak bedorven vla (vooral Jan Wouters), maar hé, we staan voor, dus who cares?

In de rust is het vervolgens net of we eigenlijk al wereldkampioen zijn, dat is die grappige Hollandse overschatting. Als Marokko meteen in de tweede helft een tegendoelpunt scoort, begint gelukkig het oude vertrouwde gekanker op de spelers weer de boventoon te voeren. Godzijdank scoort Brian Roy een half uur later het winnende doelpunt, maar zoals bij seks een *second time around* ook meestal wat minder overweldigend is dan de openingstreffer, zo is ook mijn vreugde na dit doelpunt toch net iets minder groot. Bij mij dus, niet bij de beer van een vent achter mij die mij in zijn overstelpende liefde ver van de grond tilt en bijna doodknuffelt.

We winnen de wedstrijd, en een minuut na het laatste fluitsignaal blijkt zelfs dat we onze poule hebben gewonnen. Dit schreeuwt om een gigantisch overwinningsfeest!

’s Avonds lukt het me bij Church Street te komen. Daar in Amerika nog almaar alles om geld verdienen gaat, zijn de straten afgezet en moet iedereen een toegangskaartje van twintig dollar kopen om überhaupt voor veel geld bier te mogen kopen. Dit drukt de pret geenszins. Als ik eenmaal door de omheining ben en op het beruchte stuk straat voor het uitgaans- en winkelcentrum Rosie O’Grady’s naar de overweldigende feestvierende Hollandse menigte kijk, dan schiet maar een gedachte door mijn hoofd: ‘De wereld is oranje geworden.’ Zo tam en mat als men gisteren probeerde lol te maken, zo oprecht en buitenissig gaat men vandaag uit zijn bol. Ik weet best dat ik vaak cynisch ben en zogenaamd wijsneuzigere opmerkingen maak, maar dit feest is puur en oer en gemeend en wij. Holland host een partijtje mee! Ik ontmoet veel mensen die ik inmiddels kennissen mag noemen, en we dansen en we drinken en we zingen urenlang. Op de valreep haal ik zelf ook nog een persoonlijk intellectueel succesje: ik overtuig een negentienjarige Bredase jongen ervan uit militaire dienst te blijven en gewoon even de zesde klas van het Oosterhouts Gymnasium over te doen. Een vriendendienst.

Donderdag 30 juni, waterdag

Ik ontmoet opmerkelijke mensen. Zo is de mooiste man die ik tot nu toe heb gezien, de zeker tachtigjarige voorname heer die vanmorgen bij het zwembad met een oranje cap op *Vrij Nederland* zat te lezen, terwijl zijn voet meetikte op de nummers ‘Wild thing’ van The Troggs en ‘I can’t get no satisfaction’ van The Rolling Stones. Als in zo’n schouwspel geen roman zit, weet ik het ook niet meer.

’s Avonds aan de bar spreekt een ander markant figuur mij aan, een luitenant-kolonel van de explosieven-opruimingsdienst die hier niet voor het voetbal is, maar voor een jaarlijks explosieven-opruimingscongres. Als de Purmerendse Boys ons komen vergezellen (onze andere bloedbroeders zijn inmiddels terug naar Nederland, ach ja, *you win some, you lose some*) heffen we onder leiding van de luitenant-kolonel een drinkgelag aan. Al vlug komen de drie Schotse meiden bij ons zitten. Ze zijn op volle oorlogssterkte: uitdagend gekleed, goed beschilderd en ruimlachs om alles. Hoewel ik liever niet over iets anders dan voetbal wil schrijven, moet ik toch even opmerken dat er een duidelijk verschil is tussen Amerikaanse en Europese vrouwen. Wat ik ervan gezien heb althans is dat Amerikaanse vrouwen zich, als ze uitgaan, over het algemeen *hornier than horny* kleden, met van die hyperkorte mandrilbroekjes, doorzichtige waasrokken en kanten borstomhoogstekers. Ondanks dit uiterlijk vertoon, blijken ze echter totaal niet *versierable*. De Europese (Schotse) vrouwen daarentegen hebben heel wat minder sexy kleren aan, maar zij gedragen zich weer veel directer en spontaner. Ik geloof dat de mens volgens ethologen een miljard verschillende soorten baltsgedrag tot zijn beschikking heeft, en op een paar na worden die door de Schotse meisjes allemaal in de strijd geworpen. Terwijl de delightful Connie Brown weer het podium bestijgt, vraagt de luitenant-kolonel, wijzend op zijn manschappen, of de meiden van Hollandse voetbalfans houden.

‘Oe jea, we laik tham,’ antwoordt Fiona, de twee na lelijkste, met een opgewekt Schots accent, aangevend dat het een vrolijk avondje kan worden.

Nu hebben Schotse vrouwen weinig problemen met het wegkieperen van alcohol, zeker niet als ze competitie moeten voeren met drie watjes uit Holland en een luitenant-kolonel van de explosieven-opruimingsdienst. Al na een uurtje of vier heb ik weer zo veel bier op dat ik heel realistisch begin in te zien dat het met die Nobelprijs voor de Actieve Biologie voor mij wel los zal lopen. Ik besluit naar mijn kamer te gaan, maar mijn Purmerendse vrienden en de Schotse meiden eisen dat ik mee ga zwemmen. Op dit uur?

'Cum on, that's bollock,' roept een van de meisjes, op mijn verweer dat er in ons hotel maar tot elf uur 's avonds gezwommen mag worden. Ik ben echter altijd heel schijterig in dat soort dingen. Dat heeft met christelijke normen en waarden te maken, vrees ik, met dat wat Nederland klein heeft gehouden. Later in mijn hotelkamer bedenk ik dat ik ervoor betaald word om me onder de supporters te mengen, en het dus tijdverspilling is om op bed te gaan liggen kneuteren. Ben ik nou een Hollandse supporter? Wie weet loop ik wel een orgie mis, en dat terwijl ik er niet eens zelf voor heb betaald! Nee, ik loop terug naar de bar, waar alleen de luitenant-kolonel zit. Hij verwijst me lachend naar het derde zwembad, nabij hotelgebouw 18. En daar vind ik ze, de Vrolijke Vijf, terwijl ze luid gillend in het verlichte blauwe water dobberen en ravotten. Ik word enthousiast ontvangen.

'Cum in tha wottar!' roept een van de Schotse meiden, maar ik ben mijn zwembroek vergeten en blijf aan de rand staan kijken. Dit vinden de Purmers *no good sport*, en dus klimmen zij uit het water om mij eens stevig beet te pakken en met kleren en al het zwembad in te zetten. Na een half uur hebben we mijn brilletje eindelijk teruggevonden. Als ik op de kant mijn kletsnatte spijkerbroek, T-shirt en overhemd uittrek, besef ik pas de impact van wat er zojuist is gebeurd. Jezus, ik ben in het water gegooid! Wat ontzettend mooi en eeuwig! Remember Ben de Graaff! Remember Kees Jansma! Ik ben in het water gegooid! Ik hoor erbij!

Bijna juichend duik ik met alleen mijn boxershort aan in het water om deze mooie tijding in mijn rol als supporter te vieren. Na weer een half uur hebben we mijn brilletje eindelijk teruggevonden. Ik geloof inderdaad dat ik behoorlijk aangeschoten ben.

Let's say it was the moonlight, maar plotseling bevind ik mij zittend aan de rand van het zwembad met een van de Schotse meiden. De warme nachtwind waait zachtjes door de palmbomen naast de poolbar. Het meisje rilt een beetje van kou en ze omklemt haar knieën met haar armen.

Waterblazend vraag ik of ze in Schotland een vriendje heeft.

'Nae,' zegt ze.

'Why not?' vraag ik, maar plotseling geeft ze geen antwoord meer. 'You're a nice girl. Why shoudn't you have a boyfriend? Even I have got a girlfriend! So why haven't you?'

Het meisje kijkt me aan.

De nuttigste momenten zijn als er rigoureus grote poten worden weggezaagd onder je vaststaande meningen en gedachten, dat is volgens mij waar kunst kunst wordt en het leven het leven. Er is niets zo goed als op je bek gaan, vind ik. Ik was er werkelijk van overtuigd dat die Schotse meiden aan de rol waren, ik bedoel op vrijblijvende mannenjacht, op de vakantieversiertoer, op zoek naar de speelse uitwisseling van genetisch erfmateriaal tussen verschillende volkeren. Ze gedroegen zich op het ongeloofwaardige af uitbundig en opgewonden, en ik dacht dat jonge Schotse vrouwen zich in het buitenland altijd zo gedroegen.

'I've had a boyfriend,' zegt het meisje na lang aarzelen. Aan haar stem hoor ik dat er iets is.

'O?'

'He died four months ago. He was in the army and he had an accident. We were getting married. Sharon over there, that's his sister, and Nanda is a good friend. We're on vacation to forget the pain en terrible time we've had.'

Ik ben op slag niet aangeschoten meer. Ik zeg dat ik het vreselijk voor haar vind, en dat het me spijt dat ik het haar heb laten vertellen. Ze zegt dat ze er niet mee zit om erover te praten. Omdat ze zich zo normaal mogelijk willen gedragen, hebben ze het deze vakantie nog aan niemand verteld, maar toch zou ze het er best eens over willen hebben. Ook in Schotland kan ze er met weinig mensen over praten. Ze zegt dat deze reis naar Orlando fantastisch is, maar dat ze het soms wel moe wordt om de vrolijke meid uit te hangen.

'We want to enjoy life again, but sometimes it's very hard not to feel sad,' zegt ze.

Ik knik.

'It's okay to feel sad,' zeg ik.

Aan de rand van het zwembad praten we een hele tijd over dood, liefde, mijn erg zieke moeder, de absolute willekeur van het leven en andere dingen die weinig met voetbal te maken hebben. Ik kan wel zeggen dat dit het beste gesprek is dat ik in Orlando tot nog toe met iemand heb gevoerd.

Na een half uur gaan de Purmerse boys naar hun hotelkamer en nemen we allemaal afscheid van elkaar.

Vrijdag 1 juli, échte echte supportersdag

Er is één drang die de wereld draaiende houdt: het verlangen van mensen om zich beter te voelen dan een ander. Ons voetbalteam is winnaar van de competitie, onze kerktoren is hoger, mijn lul is langer, onze kinderen halen hogere cijfers op school, ik verdien een beter salaris, ik verkoop meer boeken, ik ben met tweeduizend vrouwen naar bed geweest, ik volg het Nederlands Elftal al vanaf '74 op locatie.

Terwijl de delightful Connie Brown als extra entr'act een professionele Elvis-imitator voorstelt (O Heer, waarom stelt U ons zo op de proef?), ontmoet ik in de bar van het hotel een groep supporters die al sinds de middeleeuwen met Oranje meereist. Met álle wedstrijden wel te verstaan, van de lulligste oefenpartijtjes in Hongarije en Canada, tot de grote toernooien in Argentinië en Italië. Kijk, dit zijn de échte 'echte supporters', naar wie ik zo lang heb gezocht. Illustere namen: een Tonny, een Pat, een Jan & Margreet, een Ome Jan.

Hoewel ik voel dat ze me minachten omdat dit pas mijn eerste WK is, hang ik toch tot sluitingstijd aan de bar met de uitbundige Pat en de wat stuggere Tonny. Ze zijn niet onvriendelijk, zolang het maar duidelijk is dat ik alleen maar mag luisteren en geen enkele keer mijn mond mag opendoen. Ik ben een oranje groentje, en dat zal ik weten ook. Tonny en Pat zijn dus werkelijk wandelende verhalenmachines. Het zwembadincident van '74, de hectische finale van '78, het doorzakken met Hugo Hovenkamp, de postzegels van Jan van

Beveren; stuk voor stuk vertellen ze vele hoofdstukken uit het Grote Oranje Boek. Als we in de Floridase nachtlucht naar onze kamers lopen, doen ze net of ze het eigenlijk maar tijdverspilling vonden een absolute oranje-nitwit als ik te hebben vermaakt. Maar ondertussen.

Zaterdag 2 juli, 'O.J. Giphart'-dag

Op een flipover van het reisbureau staat dat het Nederlands Elftal vandaag oefent in de Citrus Bowl. De sportpers gaat die training bijwonen, en ik vraag aan reisleidster Sara (de Moeder Theresa, Florence Nightingale en Vera Lynn van de verzamelde Nederlandse sportpers) of ik mee mag. Volgens Sara is dit geen probleem. In de persbus gunt geen van al die wereldberoemde sportjournalisten me een blik waardig, maar dat ondermijnt mijn verheugde gevoel in het geheel niet. Van alle supporters mag uitgerekend ik het Nederlands Elftal zien trainen! In een wedstrijd staat de verbetenheid te winnen natuurlijk voorop, maar in de training daarentegen (vermoed ik), zal het voetbal nog speelser zijn, nog ongedwongener, nog kunstzinniger. Een splijtende steekbal, een lepe lob, een vrolijke bicycle-kick (zoals ze een omhaal noemen), een onverwachte hak, een streep van Koeman; ik weet niet wat ik verwacht, maar wel dat het heel mooi zal worden.

Eenmaal bij het stadion kom ik direct in aanraking met de Amerikaanse Pünktlichkeit. Terwijl de journalisten zonder naar me om te kijken doorlopen naar het veld, word ik omsingeld door een bataljon van het Amerikaanse leger. De training is niet openbaar en er mag niemand anders bij dan de Nederlandse pers, geeft men mij met een megafoon te verstaan. Er vliegen straaljagers over. Sara is nergens te bekennen.

'Ja maar,' stamel ik, 'I'm with de press. I came with een journalistbus. From Holland. With the other journalists.'

Amerikanen zijn soms best coulant. Omdat ze me niet ter plekke willen doodschieten, moet ik in een kamertje wachten, vergezeld door twee dikke mannen van de security. Deze jongens zijn beiden uiteraard gewapend, zoals in Florida zelfs de taxichauffeurs gelegitimeerd een revolver mogen dragen (hun fooien schijnen gigantisch te zijn).

'Don't even think about it, kiddo,' zie ik een van de security-mannen denken als ik mijn ogen knipper in de richting van een waterapparaat. Na een half uur word ik voorgeleid aan een soort Grand Jury, die precies wil weten wie ik ben, voor wie ik schrijf en waarom ik geen perskaart heb.

'I'm a writer,' piep ik, de absolute lulligheid van dat antwoord onmiddellijk erkennend, 'I write for a new magazine called *Hard Gras*, and I've also got a column on the art-page of *The Utrecht Newsmagazine*, *The Amersfoort Sentinel* and *The Veluws Review*. Those are Dutch equivalents of *The Washington Post*.'

Hierna moeten mijn advocaat en de prosecuter de Judge van deze Preliminary Hearing ('The People Versus O.J. Giphart') approachen, en het is al vlug duidelijk dat mijn case hopeloos is. De training moet ik missen. En ik had verdomme nog wel zo gehoopt dat er tijdens het oefenpartijtje vanwege de warmte een speler zou uitvallen. Er zou dan namelijk even geen fysiotherapeut voorhanden zijn om in te vallen, en dus zou Dickie op de tribune iemand zoeken om de teams compleet te maken; iemand die eruitzag alsof hij wel een balletje kon trappen. Nu heb ik toevallig zes jaar gevoetbald bij de Dordtse topclub EBOH (Eendracht Brengt Ons Hoger, ook wel: Elf Boeren Op Hol) als rechtsbenige linkerspits, een combinatie die in het totaaljeugdvoetbal van de jaren zeventig niet ongebruikelijk was. Dickie zou mijn talent meteen herkennen. Uiteraard had ik toevallig mijn gympen aan en ik zou zeven doelpunten maken. Dennis en Bryan zouden mij op hun schouders nemen en Dickie zou zeggen: 'Ronald, natuurlijk hoef je niet met die vervelende journalisten mee terug naar je hotel. Je mag met ons mee naar Lake Nona.' Die wedstrijd van maandag tegen de Ieren zou uiteraard geen enkel probleem zijn, en op onze sloffen zouden we de finale halen. Met andere woorden: je mag rustig stellen dat de Amerikanen door mij te weigeren de training bij te wonen, Nederland onrecht hebben aangedaan.

Zondag 3 juli, baaldag

Im Orlando nichts neues. Zoals in Asterix & Obelix voortdurend verse Romeinen de kampen rond de kleine nederzetting in Gallië (die moedig weerstand bleef bieden) komen bemannen, zo wordt ook het Oranjelegioen in Orlando steeds ververst. Opgewekt marcheren ze het hotel binnen, de nieuwe rekruten. Ik merk aan mezelf dat ik een beetje supportermoeheid begin te vertonen. Maak jullie toch niet zo druk, jongens, sloof jullie toch niet zo uit. Ik besluit me vandaag op geen enkele wijze met oranje-fans in te laten, als een soort stilte voor de storm van morgen. Aan de rand van het zwembad lees ik *De opkomst van het intellect* van William H. Calvin, om te voorkomen dat iemand me aanspreekt.

Maandag 4 juli, wedstrijddag Nederland-Ierland

Eindelijk mag ik ook eens met een echte supportersbus mee. Vanaf mijn hotel gaan we met vier grote bussen naar het stadion. Ik zit in de bus met Tonny en Pat. Als de bus wegrijdt, beginnen alle oranje volwassenen maar weer eens 'Hé buschauffeur, we gaan je bussie slopen!' te zingen. Niet pesterig of dreigend overigens, maar aandoenlijk beschaafd en liefdevol, alsof het een oud-Hollands volksliedje is. Ik bedoel dat ook de rimpelige echtgenotes van de wat oudere supporters heel gezellig aankondigen dat ze als hooligans een bus gaan afbreken, bijna net zo aandoenlijk als de nogal christelijk ogende oma die ik tijdens de wedstrijd tegen België zangerig hoorde meezingen met: 'Hij... is... een... hondelul!' (Ik registréér alleen maar.)

Bij het stadion zijn evenveel Ieren als Hollanders. De afgelopen dagen hebben de oranje-fans overal om het hardst geroepen dat die Ieren zo'n vreselijk sportief volk zijn. Dit lijkt me een typisch Nederlands trekje. Ik vind namelijk dat wij ons ook behoorlijk sympathiek gedragen, maar daar heeft niemand het over. Wat te denken bijvoorbeeld van het warme 'O, wat zijn die Ieren wit!' dat een stel Amsterdamse meiden een grote groep Ieren toezingt. Daaruit spreekt genegenheid, vind ik.

Vandaag zit ik naast een echtpaar dat, net als een klein groepje andere supporters, meereist met de sportpers. Ze zijn ontzettend boos op het reisbureau omdat ze voor alles veel te veel hebben betaald. Hun voetbaltickets kosten extra veel, hun kamers zijn dertig dollar duurder dan normaal, en ze krijgen extra toeslagen die nergens op slaan.

'Ik zal mijn vakantie er niet door laten verpesten,' zegt de vrouw, op een toon die aangeeft dat dat toch al behoorlijk is gebeurd, 'maar terug in Nederland zullen we er zeker werk van maken.'

Er valt wat te kankeren over geld. Het is gezellig.

Voor ons komt een vader met drie kinderen zitten, die ik 'de man met de hengel' doop. Het is in Amerikaanse stadions verboden om met vlaggen op stokken te zwaaien, in verband met de angst dat de supporters die stokken zullen gebruiken om de gesprekken over voetbal wat te verlevendigen. De ongeveer vijftigjarige man voor ons staat echter wel degelijk met een vlaggestok te zwaaien. Hoe kan dat?

'Het is een uitschuifhengel!' roept hij vol trots, 'die heb ik in elkaar gedrukt en via mijn onderbroek naar binnen gesmokkeld! Ze fouilleren hier toch nauwelijks!'

De Nederlanders in mijn vak reageren enthousiast, maar ik denk: Jezus, hier staat een volwassen man het risico te nemen dat hij gearresteerd wordt, van zijn kinderen wordt gescheiden en het land wordt uitgezet, louter om met een vlaggetje te kunnen zwaaien. Het is op dit moment dat ik me voor het eerst afvraag of ik wel de juiste oranje-instelling heb.

Dan begint de wedstrijd.

Voetbal zit soms simpel in elkaar. Als je tussen Amsterdammers zit, kan geen enkele Feyenoorder iets goeds doen, zit je tussen Rotterdammers dan speelt iedere Ajacied klote. Er zit een topless Rotterdammer achter mij die elke keer als Frank de Boer de bal raakt een vervelende bijna-doodervaring beleeft. Het lijkt me dat een beetje socioloog gemakkelijk op de relatie voetbal en schelden zou kunnen promoveren.

'Godvejdomme De Boej, raak godvejdomme die bal godvejdomme nu eens keer goed, godvejdomme!' tiert de Rotterdammer over de banken iedere keer als De Boer in de buurt van de bal is, steeds een ander scheldwoord aan deze smeekbede toevoegend (achtereenvolgens: puist, pretletter, witte neet, wanhoopsgebakje, puist, dieptepunt, geitekop, puist, zwart gat en puist). Als een van zijn puberzoons zich ook een keer het woord 'godvejdomme' laat ontvallen, zegt de man heel opvoedkundig: 'Ja hállów, laat dat vloeken maar aan mij over, puist.'

Nederland speelt, volgens de kenners om me heen, niet meer dan redelijk, maar door een autogoaltje van de Ierse keeper komen we met 2-1 voor. Als de scheidsrechter de wedstrijd afblaast, duurt het verdriet van de Ierse supporters precies anderhalve seconde. Meteen hierna komen ze ons bedanken voor de mooie wedstrijd, worden er schouderkloppen en handdrukken uitgewisseld, en wensen ze ons alle succes in de rest van het toernooi. Onderweg naar de bussen roepen zeker vijftig Ieren dat zij vanaf nu Oranje zullen steunen. Ik vraag me af of Nederlanders na een verlies ook zo hadden gereageerd.

Wat er die avond in Church Street gebeurt, lijkt mij uniek in de geschiedenis van de mensheid. Waar ter wereld hebben twee volkeren zich op vreemde bodem zo massaal verbroederd, terwijl er geen bloedvergieten aan vooraf ging? Volgens mij heeft dit zich in achtduizend jaar menselijke beschaving nog niet eerder voorgedaan. Het Nederlandse voetbalteam heeft gewonnen, de Ierse supporters zijn hier oprecht tevreden mee, en het lijkt of de twee volkeren van tevoren hebben besloten dit op De Meest Sportieve Wijze Ooit te vieren. Drieduizend Ieren en drieduizend Nederlanders (onder wie prins Willem Alexander en ikzelf) zijn naar de feeststraat in Orlando gestroomd om elkaar uitzinnig de liefde te verklaren. Ik heb nog nooit zo veel mannen zo kameraadschappelijk met elkaar zien omgaan, zonder dat het een homo-erotisch bijsmaakje kreeg. Overal omhelzen supporters elkaar, overal lopen groepen Ieren en Hollanders arm in arm, overal slaat men elkaar op de schouders, overal geeft men elkaar uitgelaten *high fives*, overal ruilt men kleren, petjes, vlaggen, attributen, vrouwen, en overal zingt men en drinkt men en drinkt men en drinkt men. Dit is de wereldvrede in praktijk. Dit is de liefde genaamd voetbal. Hier geldt: voetbal is vrede, meneer Michels. Hier laat de mensheid zich in alle liederlijkheid van zijn beste kant zien. Wat hier gebeurt verdient een Nobelprijs.

Wie nog een petje van zijn eigen land draagt, is eigenlijk een ordinaire fascist – zo denkt iedereen erover. Ook de Ierse pubs Mulvaney's en Sloppy Joe's Bar zijn omgetoverd tot tempels van genegenheid. Het vaste beeld van de avond: een Nederlander en een Ier komen elkaar tegen, kijken elkaar aan, zakken allebei iets door hun knieën en omhelzen elkaar onder luid geschreeuw. Ook ik doe hier aan mee. Het is omhelzen of omhelsd worden. Mijn eigen oranje petje ruil ik voor de groene van een Ierse jongen, waarna we, om onze ritsloze vorm van supporterseks kracht bij te zetten, elkaar stevig proberen fijn te knijpen.

Aangetrokken door zo veel feestvreugde en zinderende mannelijke energie, heeft zich zelfs een heel peloton bijna-naakte Amerikaanse meiden in het gehos gemengd. Dit maakt de uitzinnigheid natuurlijk alleen maar groter. Vriendschap, Voetbal en Vrouwen: wat kunnen deze mannen zich meer wensen (behalve Veel bier). Ook op de plees vindt verbroedering plaats (en we moeten daar nogal vaak zijn, dus dat komt goed uit). Continu zingen Nederlandse en Ierse jongens gezamenlijk 'If you hate the fucking Germans clap your hands!' waarna iedereen in zijn handen klapt. Dat galmt lekker op zo'n toilet. Als ik met een groepje Ierse Nederlanders en Nederlandse Ieren (je kunt zo langzamerhand echt niet meer zien uit welk land iemand komt) na een kwartier tegen de Duitsers te hebben geklapt, weer naar het straatfeest loop en daar een paar goed geoutilleerde Amerikaanse vrouwen op ons wacht, roept een van de Ieren met een subliem gevoel voor humor en zelfkennis: 'If you hate the fucking hormons clap your hands.' Allen klappen we verdoofd van geilheid.

Zelfs de politieagenten zijn onze beste vrienden. Omdat ze bang waren dat de supporters na de wedstrijden door het dolle heen hun dure petten zouden stelen, dragen de politiemannen goedkopere zwarte caps met de opdruk 'OPD' (Orlando Police Department). Nu de laatste voetbalwedstrijd in Orlando is gespeeld, zijn de caps niet meer nodig, waardoor elke supporter er één probeert te bemachtigen. Die cap past ons tenslotte allemaal. Je mag gerust stellen dat de caps statussymbool worden: wie met zo'n pet op loopt laat zien dat hij Oppersupporter is in de Orde der Sportiviteit. (Als je overigens een politieagent ziet die zijn cap nog draagt, weet je dat hij kaal is en dan laat je hem met rust, want hij heeft het al moeilijk genoeg.)

Na een paar uur vallen steeds meer jongens totaal bezopen in slaap. Ik zie ook een jongen die indoezelt terwijl hij tegen een lantaarnpaal leunt. De sfeer blijft echter optimaal. Veel mensen hossen onophoudelijk op de muziek van de Amerikaanse feestband, en een van degenen die door de menigte springt is de luitenant-kolonel van de explosieven-opruimingsdienst. Zijn ene dochtertje zit schaterlachend op zijn nek en zijn andere dochtertje host vrolijk met de fans over het feestplein. Normaal zou een vader er niet over peinzen om zijn kinderen tussen zo veel dronken mensen los te laten, maar hier op 4 juli 1994 in Church Street, Orlando, USA, kan dit zonder enig probleem. Vandaag ligt hier het Epicentrum der Wereldvoetballiefde.

Vlak voordat mijn shuttle terug naar mijn hotel gaat, bezoek ik voor de laatste keer in mijn leven de Hown At The Moon Saloon. Even een Officiële Hown At The Moon Fuck Off To The Hooligans-Yell, en ik kan er weer jaren tegenaan.

'You've picked a fine time to leave me, Lucille! You bitch! You slut! You whore!' luiden tweehonderd kelen me uit.

De luchthaven van Orlando, woensdag 6 juli, verplaatsdag

Gelukkig ben ik nog niet zo blasé dat ik het normaal vind dat ik met het Nederlands Elftal in één vliegtuig mag reizen. We vliegen vandaag naar Dallas voor de kwartfinale tegen Brazilië. Inmiddels heb ik me aangesloten bij het kleine groepje trouwe supporters dat de pers en het Elftal volgt. Een van de mensen die al jaren met Oranje en Ajax meereist is een vierenzeventigjarige opgewekte Amsterdammer. Omdat ik een paar keer zijn handbagage heb gedragen, mag ik officieel 'Ome Jan' tegen hem zeggen, een voorrecht dat ik koester (tot ik erachter kom dat op het vliegveld van Orlando iedereen hem 'Ome Jan' noemt, van schoonmaker tot piloot).

In het vliegtuig zit ik naast een trompettist van De Teletoeters (het door *De Telegraaf* gesponsorde feestorkest van Oranje) en een journalist van *Sport International*. Als alle aanhang op zijn plek zit, komen de spelers via de achteruitgang het vliegtuig binnen. Ik kijk mijn ogen uit. De spelers! Handenschuddend en grappenmakend lopen de jonge goden langzaam naar hun stoelen. Wie geen schouderklopje of dolletje krijgt, hoort er niet bij. Volgens de journalist naast me is dit het 'vliegtuig-ritueel'. Even krijg ik de aandrang om 'Hé jongens, ook als jullie verliezen het publiek bedanken, ja?' te roepen, maar ik hou me in. Als iedereen eindelijk zit, kunnen we vertrekken. Vlak voordat we gaan opstijgen bedenk ik dat ik nog nooit met zo veel miljonairs van mijn leeftijd in één ruimte ben geweest.

Dan gebeurt er iets dat ik maar noem: de chaostheorie in praktijk. De chaostheorie is een nog redelijk onbekende maar erg belangrijke natuurkundige veronderstelling die pas twee decennia geleden verwoord is. De theorie beschrijft (onder andere) dat hele complexe systemen wel te verklaren, maar niet te voorspellen zijn. Het beroemdste voorbeeld van de chaostheorie is de vlinder boven China die door met zijn vleugels te wapperen een storm boven New York veroorzaakt. Zoiets kun je niet zien aankomen. Volgens een ander bekend voorbeeld zou een koninkrijk niet veroverd zijn, als de slag niet verloren was, als de ridder niet gevallen was, als het paard zijn hoef niet had verloren, als de spijker niet was losgeraakt. Wederom kan niemand dit van tevoren bedenken.

Wat er voor het vertrek naar Dallas gebeurt, valt ook niet te voorspellen. De chaostheorie op voetbalniveau. *Algemeen Dagblad*-journalist Lex Muller krijgt een aantal keer achter elkaar van een stewardess te horen dat hij een tas – die nota bene niet eens van hem is – moet opbergen. Om het ijs een beetje te breken zegt hij (nadat de pinnige stewardess hem voor de zoveelste keer over die tas aan zijn hoofd heeft gezeurd): 'Ja maar, er zit een atoombom in.'

Ik ben misantroop genoeg om zo'n grapje te waarderen. De stewardess echter niet, net zo min als de gezagvoerder, die alarm slaat. Muller wordt door veiligheidsagenten van het vliegtuig gehaald en met een auto afgevoerd. Het is op dit moment dat de aanvankelijk giebelende collega's van Lex Simpson (zoals hij al wordt genoemd) zich zorgen gaan maken, en opgewonden door het vliegtuig rennen. Vooral Frits Barend loopt de benen uit zijn lijf. De vertraging die het grapje van Muller veroorzaakt, duurt nu al een half uur. In het vliegtuig wordt het steeds warmer. De laagste instincten komen los, een hevig zwetende René Froger (de bard op deze Odyssee van Oranje) doet een aanval op de drankvoorziening en de baby van Ronald de Boer schijt met een paar welgemikte steekpassjes zeker zestien stoelen onder. Een kwartier later is het niet meer uit te houden. Omdat het gevaar bestaat dat er mensen zullen flauwvallen, moeten alle passagiers het toestel verlaten.

Iedereen roept om het hardst hoe verschrikkelijk vervelend deze toestand is, maar de Teletrompettist en ik vinden het eerlijk gezegd ontzettend spannend. Met de spelers, officials, journalisten en aanhang worden we naar een aparte hal gevoerd, waar we moeten wachten op verdere mededelingen. Ik sta in de buurt van Bryan Roy en Ronald Koeman, en later komt Dickie pal naast me zitten om een spoedpersconferentie te geven. Ik baal enorm dat ik mijn fototoestel in mijn grote koffer heb gelaten, anders had ik nu prachtig kunnen scoren. Iedereen loopt opgewonden door elkaar, de ene keer wandel ik een stukje op met Jan Wouters, de andere keer met Gaston Taument en Rob Witschge. Als Aron Winter mij voor de toiletten quasi-grappig 'Dat sijn geen lauke gajntjes, heren sjournalisten,' toebijt, glimlach ik vriendelijk, maar ik ga uiteraard niet in discussie met iemand die zijn taal niet beheerst. Aan een tafeltje leggen Ed de Goey, Marc Overmars, Arthur Numan en Wim Jonk een kaartje, terwijl ik toekijk (ik kan ook heel leuk kaarten, maar dat schijnt niet van belang te zijn). Wat een ontzettend feest eigenlijk! Overal staan journalisten met van die elektronische handgranaten naar hun redacties te bellen. 'Vliegtuig Nederlands Elftal vertraagd door uit de hand gelopen grap' 'Bommelding verstoort vliegreis naar Dallas' 'Bom brengt Oranje in gevaar' 'Toestel Nederlands Elftal bijna neergestort'.

Na drie kwartier worden we met stiletto's naar vier klaarstaande bussen gejaagd. Ten langen leste komt er een einde aan deze vervelende affaire. Mis. De bussen rijden in gletsjertempo naar het rampgebied van het vliegveld. Als we in de verte ons toestel lekker zien bruinen in de zon, houden de bussen halt en gaan we plotseling niet verder meer.

'Yo! What's happenin, dude?' vraagt een journalist aan onze chauffeur. Deze legt in beschaafd Engels uit dat we moeten wachten tot al onze bagage uit het vliegtuig is gehaald voor een extra controle. Dit wachten duurt twee uur. We doden nogal chaotisch de tijd met praten, telefoneren en luisteren hoe in de bus achter ons René Froger liedjes zingt. Als de chauffeur van mijn bus even naar buiten gaat om met de politiemacht te overleggen, neemt Ulrich van Gobbel even zijn plaats in. Hij doet heel aandoenlijk net of hij de bus bestuurt.

Ondertussen vliegen er helikopters over en zien we in de verte cameramannen op hoge televisiewagens in het bos. Dan komt de onheilstijding dat een securityhond inderdaad een bom heeft gevonden. Er is een bom gevonden... Het nieuws wordt met ongeloof ontvangen. De bom schijnt verborgen te zijn in een stuk handbagage. Er wordt een kort onderzoek uitgevoerd naar de eigenaar van de tas. De vrouw van Ronald de Boer blijkt een bom het vliegtuig te hebben binnengesmokkeld! Wie had dat ooit van haar gedacht? Er moet een tweede securityhond aan te pas komen om vast te stellen dat het niet om een bom gaat, maar om opgerolde poepluiers.

'Een stinkbom,' zeg ik, uitermate grappig eigenlijk, maar op dit moment kan niemand ook maar ergens meer om lachen.

Vijf uur en een complete alarmoefening van de Orlando Airport Police later, gaan we eindelijk de lucht in (ik bedoel: stijgen we eindelijk op). Bij aankomst in Dallas vertrouwt Ome Jan me toe dat hij het natuurlijk een heel vervelend incident vond, maar dat hij toch wel blij is dat hij dit op zijn leeftijd nog heeft mogen meemaken.

Dallas, zelfde dag

Ik vind: het leven is een lange, eenzame weg met al

dan niet zelfgekozen ervaringen. 's Avonds zit ik in de lounge van mijn copieuze hotel. Het reisbureau heeft mij vandaag gescheiden van de trouwe oranje-supporters. Ik heb het contact met de fans definitief verloren. In mijn serie Fascinerende Ontmoetingen krijg ik het vanavond aan de stok met de vrijwel voltallige afvaardiging van de Nederlandse sportjournalistiek. Ik schijn daar plotseling bij te horen. Ik mag zelfs de borrel bezoeken die het reisbureau de journalisten aanbiedt. Iedereen weet echter dat Nederlandse sportjournalisten geen supporters van Oranje zijn, sterker nog: het contrast met het Legioen kon niet groter zijn. Gadverdamme, wat een kleinzielig wereldje, dat sportjournaille! Wat vreselijk om een sportjournalist te moeten zijn. Het lijkt verdomme wel of in die kringen het alledaagse omgangsdecorum niet geldt. Blasé, ongeïnteresseerd, afgunstig en schaamteloos onbeschoft: de gemiddelde sportverslaggever. Daarbij houden ze elkaar onderling nauwlettend in de gaten, maken ze voortdurend vileine opmerkingen tegen en over elkaar en lijkt het wel of ze liever roddelen dan over mooi voetbal praten. Sommige journalisten komen me uithoren wie ik ben en wat ik doe om me vervolgens gerustgesteld aan mijn lot over te laten. Anderen maken vriendelijke praatjes, om het volgende moment heel chagrijnig te doen of ze me niet kennen. Weer anderen willen sowieso niets met mij te maken hebben. Ze gaan niet met iemand praten die er pas sinds Dallas bijhoort. Een journalist van *de Volkskrant* schampert zelfs dat *Hard gras* vast niet bestaat en ik geen echte schrijver ben.

'Ja, in je dromen natuurlijk,' zegt hij, zonder enige reden haatdragend.

De ergste van het hele stelletje vind ik Ugo Camps, de Vlaamse levensgoeroe die er voortdurend bijloopt alsof hij elk moment zelfmoord zal plegen. 'Wandelend veenlijk' wordt hij achter zijn rug door zijn collega's genoemd, vanwege zijn kleurrijke outfit en almaar zonnige gemoed. Ik krijg zelfs ruzie met hem. Hij vindt mij dom, omdat ik de voetballers van nu prinsjes noem, in vergelijking met de voetballers van vroeger, die meer boefjes waren. Deze redenering leen ik van Ap van de Meulen, een van de weinige sportjournalisten met wie ik kan opschieten (hij schrijft voor *Elf*).

'Dan weet jij niet wat er in Lake Nona is gebeurd,' antwoordt Ugo mij zuchtend. Nu weet ik dat inderdaad niet, maar ik ben er wel vreselijk nieuwsgierig naar. Zouden de verhalenmachines Tonnie en Pat hiervan op de hoogte zijn? Ik vraag wat er dan in Lake Nona is gebeurd, maar Ugo zegt dat ik dat zelf maar moet uitzoeken.

'Jij bent de sportjournalist,' antwoordt hij stug. Ik wijs hem erop dat ik geen sportjournalist ben en het ook helemaal niet als mijn taak zie erachter te komen wat die onvolwassen grootverdieners in Lake Nona uitvoeren. Wat mij betreft neuken ze vliegtuigladingen stewardessen plat of spelen ze vals met kaarten.

'Wel een grote mond hebben over boefjes en prinsjes, maar niet weten wat er in Lake Nona is gebeurd, dat noem ik intellectuele bekrompenheid,' zegt het veenlijk zuchtend. Hij omschrijft het een beetje bot, maar dat zal wel door de vertaling komen. Ik zeg dat ik toegeef dat Ugo gelijk heeft. De nuttigste momenten zijn als er poten worden weggezaagd onder je vaststaande meningen en gedachten. Er is niets zo goed als op je bek te gaan, vind ik, wat ik ook tegen Ugo zeg.

'Jij weet niet wat er in Lake Nona is gebeurd,' gaat hij verder, waarop ik antwoord dat dat klopt en dat je je inderdaad nooit moet laten bedriegen door uiterlijke schijn. Ik vertel wat ik heb meegemaakt met het Schotse meisje (een mooi verhaal, al zeg ik het zelf) en ik besluit met: 'Niets is wat het lijkt, en het jammere is dat je daar steeds maar weer opnieuw achter komt.'

Ik moet na deze zin zelf ook wel een beetje braken. Ugo kijkt mij hoofdschuddend aan.

'Jij hebt niet de intellectuele vermogens om dat te begrijpen,' zegt hij, zum Tode betrübt.

Zo, die zit.

'Wat bedoelt u?' vraag ik.

'Dat alles schijn is. Dat snap jij niet.'

'Ehm, maar dat zei ik toch net zelf?'

'Ja, maar jij hebt het vermogen niet dit te *begrijpen*.'

Dit begrijp ik niet.

'Niet te begrijpen?' zeg ik, 'hoe komt u daarbij?'

'Dat zie ik aan je, aan die jongensachtige grapjes van je, en ook omdat je daar te dom voor bent.'

Voor een intellectueel vind ik dit een behoorlijk agressieve opmerking. Mijn gevoel van decorum is nog niet zodanig door alcohol aangetast dat ik zo maar iemand dom zou noemen.

'Ja maar, meneer Camps, nu maakt u dezelfde fout als die u mij terecht verwijt. Ik kan niet zeggen dat de voetballers prinsjes zijn, omdat ik niet weet wat er in Lake Nona is gebeurd, oké, maar u mag niet zeggen dat ik dom ben, als u me helemaal niet kent. Dat is dan van uw kant behoorlijk dom.'

'Jij weet niet wat er in Lake Nona is gebeurd,' zegt Ugo maar weer eens.

Nu is het mijn beurt om te zuchten.

‘En hoe vaak gaat u dat nog zeggen?’ vraag ik.

Ugo kijkt mij even aan om vervolgens droevig hoofdschuddend van mij vandaan te lopen. Ik vind het persoonlijk minder erg om je eigen vrouw bruut om het leven te brengen, dan om midden in een goed gesprek weg te lopen.

‘Trek het je niet aan,’ zegt Ap van der Meulen, ‘volgens mij kon Mein Camps het intellectuele niveau van jullie gesprek niet meer volgen.’

Ik knik.

‘En wil je weten wat daar op Lake Nona nu eigenlijk echt is gebeurd? Het schijnt dat spelers zich daar, ’s nachts, met alle lichten uit en de deuren op slot, onder hun lakens hebben afgetrokken. Echt waar.’

Ik proost.

‘Boefjes zijn het,’ besluit Ap.

Dallas, vrijdag 8 juli, verkendag

Dallas is geen stad, Dallas is een gebied. En had Orlando een klein centrumpje (volgens Zutphense begrippen dan), het uitgaansgebied in Dallas is zo mogelijk nog kleiner. ‘West End’ heet het verzamelstraatje voor Braziliaanse, Hollandse en andere toeristen. Er zijn een paar terrasjes, drie restaurantjes en twee discotheken.

Ik heb de afgelopen weken al zo veel mensen ontmoet dat ik er licht misantropisch van geworden ben. Ik probeer me te mengen onder de fans die speciaal voor de komende wedstrijd zijn overgekomen, maar het gaat me niet meer zo goed af, want het is niet leuk om steeds maar nieuwe vrienden voor het leven te maken en ze vervolgens kwijt te raken.

Ik dwaal een beetje rond in de onvermijdelijke *mall*,

de winkelpromenade, maar er valt niet meer te melden dan dat er vijf stropdassenwinkels zijn en een soort *stand-up* chocolademaker: een dikke neger die met een houten schep vloeibare chocola bewerkt en daar een conference van maakt.

Bij een kroeg tegenover de bekende horecaketen TGIF (Thank God It's Friday) drink ik een coctail. Het is opvallend hoeveel coctails hier ondeugende namen dragen ('Bikini Magic', 'Sex in a Hammock', 'Sex in the Jungle', 'Razz my Ass', 'Let's get Naked'), maar ik heb het lef niet er een te bestellen, want voor je het weet word je gearresteerd wegens *sexual harassment*. Zo zijn ze hier namelijk wel!

De taxichauffeur die mij naar mijn hotel terugrijdt (de tocht duurt een half uur), is een vijfenzeventigjarige baas die hoopt dat Nederland wint van Brazilië, omdat zijn broer in de Tweede Wereldoorlog bij Arnhem is overleden. Zo goed als Nederland diens graf heeft onderhouden, vindt hij ongelooflijk en hartverwarmend. De man heeft ook geheime informatie over wie J.F. Kennedy nu eigenlijk echt heeft vermoord, maar helaas vergeet ik de naam van de moordenaar te onthouden.

9 juli, wedstrijddag Nederland-Brazilië

Aan de journalisten in de bus op weg naar de Cotton Bowl kan niemand zien dat ze uit Nederland komen. Ik ben de enige die zich oranje heeft getooid. De algemene sfeer onder de sportpers is: laten we in godsnaam hopen dat het Nederlands Elftal verliest, want dan kunnen we weer vlug terug naar huis om tussen de borsten van mamma te kruipen. Een duidelijk contrast met mijn gevoel over deze wedstrijd. Goddomme, Nederland-Brazilië *live*, dat is toch een ultieme jongensdroom, een onvoorstelbaar cadeau, een wedstrijd op het voetbalveld van de Olympus, een toegift van God?

Tijd voor een flashback. Ik kan me het Wereldkampioenschap van 1974 herinneren. Ik was acht jaar, en mijn vader – de plaatsvervanger van Karl Marx op aarde – maakte zich zenuwachtig voor onze zwart-wit televisie. Mijn vader, zenuwachtig!

'Dat winnen we nooit,' zei hij almaar, voordat de wedstrijd begon. Het maakte veel indruk op me mijn vader zo gespannen te zien. Als mijn vaders ontzag voor een team zo groot was, dan moest het wel het beste elftal ter wereld zijn, dacht ik. Van de wedstrijd herinner ik me niet meer zo veel, behalve dat Nederland het Braziliaanse Elftal in de tang had en met 2-0 won. Mijn vader was na het laatste fluitsignaal weer de stoïcijnsheid zelve, maar ik dacht (in mijn neus peuterend): 'Onvoorstelbaar, heb ik mijzelf daar toch even laten bedotten door het aanschijn der dingen.'

Voor deze Nederland-Brazilië zijn de sportjournalisten weer allerpessimistisch. Brazilië is de geheide favoriet en zekere winnaar. Ik weet inmiddels beter. We maken wel degelijk een kans, en zo denken de andere Nederlandse supporters er ook over. Voor het eerst dit wereldkampioenschap zijn we in aantal duidelijk in de minderheid. Ik schat dat er ongeveer vijfduizend landgenoten rondlopen en een paar miljard Brazilianen. Er wordt niet alleen sportieve strijd gevoerd op het veld, maar ook eromheen: het gevecht welk land het meeste geluid maakt, het meest buitenissig gekleed is, de meeste schmink op heeft en het geilst durft de dansen. De Brazilianen winnen op alle fronten. Ongelooflijk: zelden heb ik een zo grote groep mensen zich zo zien overgeven aan een zo uitbundige steun aan hun land. Is dit niet een beetje eng? Ik bedoel: men vraagt zich altijd heel bezorgd af hoe het mogelijk was dat een bepaald land in een bepaalde periode in de geschiedenis (1933-1945) zich op een bepaalde manier heeft gedragen, maar over de verbeten Brazilië-woede en bijhorende collectieve volgdrang hoor je geen mens. Ik bedoel: niet dat de Brazilianen agressief zijn, helemaal niet, dat is het vreemde. Ze zijn verbeten, maar niet onaardig.

Vooral de Braziliaanse vrouwen zijn uitermate balsturig in hun lichamelijke bijstand, jeumig, daar kunnen die Hollandse meiden nog een puntje aan zuigen. Voetbal is in dat land natuurlijk een veel groter afrodisiacum dan bij ons. In Nederland worden er op z'n hoogst oranje vibrators op de markt gebracht om de voetbalhatende vrouwen ook nog enig plezier aan het Wereldkampioenschap te laten beleven (terwijl hun mannen met oogverzakkingen, hersenverweking en impotentieproblemen aan de buis geketend zijn). In Brazilië lijkt het daarentegen wel of er geen voetbalhatende vrouwen zijn! Een parade van blote benen, blote buiken, blote borsten (afgezien van een paar draadjes over de tepels) en wreedgeil glimlachende Braziliaanse damesgezichten trekt langs me heen. Alle vrouwen dansen de samba, en het wordt heter en heter.

Maar dan, alsof Hij plotseling toch bestaat, besluit God in te grijpen. Het is de afgelopen weken moorddadig warm geweest. Vele musjes zijn zonder enige reden van daken gevallen. Aanvallende voetbalteams waren door deze temperaturen sterk achtergesteld. Ook in Dallas was er niets dat wijst op enige verandering in het weer, maar vandaag is God de mensheid voor anderhalf uur genadig. Hij laat een fikse regenbui en wat stevige wind op Zijn speeltuin nederdalen om de temperatuur tien graden terug te brengen, van 97°F tot 25°C. Dit schijnt in deze tijd van het jaar ongekend te zijn. Echt voetbalweer, echt aanvalweer, echt Nederland-Brazilië-weer.

Vandaag zit ik in een van de weinige overheersend Nederlandse vakken, tussen een Bondsvoorzitter Staatsen en een Prins Willem Friso. Ook de befaamde 'Emmense Indiaan' loopt er met zijn trommel rond. Rechts naast me zitten de gepensioneerde banketbakker Ben en zijn schoonzoon Marc, links twee jonge Amerikanen, recht achter ons Brazilianen.

Dan begint de wedstrijd.

De eerste helft verloopt zonder al te veel opwinding. De Amerikanen naast me kijken daarentegen hun ogen uit. Elke keer als een oranje-fan een lied aanheft en zijn medesupporters in een onverwachts geschreeuw uitbarsten (bijvoorbeeld bij 'De herdertjes lagen bij nachte' en het daaropvolgende 'Holland!'), kijken zij verschrikt om zich heen en naar elkaar. Je ziet ze denken: 'These funny foreigners.'

De tweede helft moet hun nog meer schrik aanjagen, maar ik let er niet meer zo op. Het Nederlands Elftal komt terecht achter met 2-0, en eigenlijk wordt de hoop al opgegeven. Op de tribunes zeurt niemand over vermeend buitenspel. Ben zegt: 'Nou, het is gedaan,' en zo denken Marc en ik er ook over. We lijken ons erin te berusten. We gaan naar huis. Het is leuk geweest.

Maar dan! Een goal van Bergkamp! Vreugde in de vakken met de Nederlanders. Iedereen is door het dolle. We hebben de eer gered! Dennis heeft de eer gered! Het is nog niet verloren! We kunnen nog gelijk komen. Het zal moeilijk worden, maar er is een kleine kans!

De wedstrijd gaat verder.

Hevige druk van het Nederlands Elftal. Er valt een corner links aan de Braziliaanse kant. Marc Overmars neemt de bal en schiet hem met een boog naar het hoofd van Aron Winter. Wat ik een moment later ervaar, noem ik: *de oerschreeuw*. Ik heb deze oerschreeuw nog maar één keer in mijn leven uit mijn keel geperst: toen in 1988 Marco van Basten 1-2 scoorde in de halve finale tegen Duitsland. De oerschreeuw is een samenballing van alle kracht die je lichaam blijkt te hebben. Bij de oerschreeuw ga je een kortstondig moment dood en word je opnieuw geboren. De oerschreeuw is de wens van je hoofd om je ogen met geweld uit je kassen te wringen.

We staan godverdomme gelijk!

Ik knijp in mijn ogen om niet in huilen uit te barsten. Wild en zelfs agressief gelukkig draaien we ons om naar de Brazilianen om hen te pesten met onze blijheid, zoals zij ons ook vermaakten met hun genot. Ben, Marc en ik omhelzen elkaar. We gaan nu winnen, dat weten we zeker. Iedereen weet het. We gaan winnen. Net als indertijd tegen Oost-Duitsland en Noord-Ierland: 2-0 achter, 2-3 winst. In naam van Oranje: We gaan winnen!

Het voetbal zit soms moeilijk in elkaar. Een ploeg die grote achterstand inhaalt, kan eigenlijk niet meer op achterstand komen. Nederland komt toch op achterstand. Een Braziliaan scoort een heel leep doelpunt uit een vrije trap. Eén groot buitenlands oergejuich vult de Cotton Bowl. De Brazilianen achter ons gaan bijna dood van vreugdesmart.

De Nederlanders om me heen zwijgen. Er wordt niet gevloekt, geen boosheid of ontreddering getoond, en zelfs niet gezucht. We verwerken. We verliezen. We leggen ons erbij neer. Ben en ik kijken elkaar aan, schouderophalend. Hier stopt de Invasie van Amerika. Dit gevoel heet: *oerverlies*.

Nadat de scheidsrechter afgeblazen heeft, vergeten de voetballers van het Nederlands Elftal het publiek te bedanken, ja? Ik kan er op dat moment niet mee zitten. Marc, Ben en ik schudden handen met de Brazilianen achter ons. Gekeken naar het verloop van de wedstrijd en de kansen voor Oranje, verwerken de Hollandse supporters het verlies opmerkelijk snel. We gaan naar huis. De Brazilianen vieren feest alsof ze geen moment in gevaar zijn geweest. Buiten het stadion is het een en al pret. Wij, verliezers, zijn sportief en feesten mee. Net als na de wedstrijd tegen de Ieren, worden er overal kleren geruild. De Nederlanders nemen geniepig wraak op de Brazilianen door hun spotgoedkope oranje HEMA-shirtjes te ruilen voor peperdure Braziliaanse klassehemden. In hun vreugde zijn de Brazilianen helemaal de kluts kwijt. Gretig trekken de Nederlanders hun nieuwe mooie geelgeblokte shirts aan. Zo houden ze er toch nog iets aan over. We maken winst. Het is gezellig.

Zondag 10 juli, voorbijdag

The day after the two and a half weeks before. In het vliegtuig heb ik een enorme kater, maar die wordt meer veroorzaakt door het gisteravond op de hotelkamer van Ap van der Meulen genuttigde flesje whisky, dan door het feit dat het allemaal voorbij is. Ik zit naast twee *stand-up* functionarissen van het ministerie van Binnenlandse Zaken, die de thuiskomst van het Nederlands Elftal op Schiphol van boven de Atlantische Oceaan proberen te coördineren. Oei, wat zijn deze heren grappig; het lijkt wel of Nederland Wereldkampioen is geworden. Volgens mij denken velen dit. De stemming in het vliegtuig is opmerkelijk goed geluimd. Iedereen schijnt het verlies te hebben geaccepteerd, en velen zijn ongegeneerd blij dat we naar huis mogen. Behalve de supporters. Een kleine afvaardiging (onder wie het vaste clubje uit mijn hotel in Orlando) mag met deze KLM-Boeing meevliegen; de teleurstelling is op de gezichten te lezen.

Terwijl om me heen de drank gretig vloeit, zit ik in mijn stoel waanzinnig contemplatief na te denken over de afgelopen dagen. Niet dat ik nu plotseling droevig ben of zo, want zulke goede vrienden heb ik in Amerika nu ook weer niet gemaakt, maar toch overmant me een licht gevoel van melancholie. Al met al was het een onnavolgbare reis.

'Als ik ergens niet meer ben, voel ik me er pas thuis,' bedenk ik, vlak voor ik wegdoezel. Ik ben niet dronken, ik heb gewoon een halfmisselijke bijna-droom. Vele scènes en personen schieten door mijn hoofd, het lijkt wel een film. Mijn grootste probleem is: hoe ga ik het allemaal aan Arwen vertellen? Van die politieagent die ik bijna 'Wie wil mij pijpen?' had geleerd, van dat Schotse meisje met wie ik aan de rand van het zwembad onder de volle maan over de dood en het leven heb gepraat, van het karaoke, van die oerschreeuw en het oerverlies, en van de honderdduizend andere herinneringen met een oranje randje.

Uitgeput haal ik de morgen. Op een uur afstand

van Schiphol strek ik mijn benen. In de gang bij de toiletten kom ik Ome Jan tegen, die als altijd de opgewektheid zelve is.

'Ome Jan, was dit nu de laatste keer voor u?' vraag ik.

'De laatste keer?' zegt hij verontwaardigd, 'ik ben toch pas vierenzeventig?'

Op de revers van zijn jasje zitten tientallen speldjes die hij de afgelopen weken bij elkaar heeft gespaard. Sommige heeft hij gekregen van supporters van andere landen, andere van bestuurders en officials. Vol trots legt hij uit waar elk speldje vandaan komt.

Omdat de piloot waarschijnlijk de landing inzet, schommelt het vliegtuig een beetje. Ome Jan leunt tegen een wandje.

'Ik ben eigenlijk een beetje bang om te vliegen,' vertrouwt hij me uit zichzelf toe. 'Behalve als ik met het Nederlands Elftal vlieg, want dan ben ik nooit bang. Als ik in zo'n geval neerstort, weet ik tenminste dat ik met mijn team ga, met de jongens. Sterven met het Nederlands Elftal, dat is toch het mooiste wat er is?'

Als ik een kwartier later weer op mijn plaats zit, hoop ik een kort moment dat we inderdaad zullen neerstorten en dat deze reis derhalve nooit voorbij zal zijn.

De dag dat ik een verhaal wilde schrijven over het voetbalverleden van mijn vader en mijn vader dat heel flink zelf al had gedaan

Ik was van plan een verhaal te schrijven over het voetbalverleden van mijn vader, maar mijn vader zei lichtcynisch dat hij daarover zelf al had geschreven in het manuscript dat ik nog van hem had liggen: 'Je weet het misschien nog wel, mijn oorlogsherinneringen.'

Mijn vader heeft inderdaad een boek geschreven: *OZO of wat de pot verder schaft, de belevenissen van een oorlogskleuter*. 'Waar niemand ooit ook maar de geringste belangstelling voor heeft getoond,' aldus mijn vader, enkele jaren na de voltooiing ervan. En dat is waar. Een paar jaar geleden, toen ik mijn vader vertelde dat ik zou gaan debuteren met een roman, heeft hij mij het manuscript over zijn oorlogsjaren gegeven met de opdracht 'er iets mee te doen' en het 'eventueel onder te brengen bij een uitgeverij'. Ik was te druk toen, te veel bezig met mijn eigen dingetjes en tekstjes, en ik heb mijn vaders boek ergens bewaard waar ik het nu niet meer kan vinden. Ook mijn stiefmoeder en stiefzusje (ja, 't is net een sprookje) schijnen niet bijster in mijn vaders oorlogsbelevenissen geïnteresseerd te zijn geweest, om maar te zwijgen van de oud-collega van mijn vader die al op de eerste bladzijde van *OZO* een historische fout ontdekte, waarna hij subiet stopte met lezen. Deze reacties lieten mijn vader redelijk ijskoud, want hij had het boek, beweerde hij onaangedaan, toch uitsluitend voor zichzelf geschreven (en om te leren werken met zijn computer).

Een paar maanden nadat ik gedebuteerd had, mocht mijn vader na veertig dienstjaren vervroegd uittreden; iets waar hij zich volgens mij al veertig jaar op had verheugd. Hij werd (en bleef) niet alleen schilder, houtbewerker, puzzelaar, weldenkend anarchist, experimenteel meester-kok, computerprogrammeur en fervent lezer, maar ook schrijver. 'Bij de meeste mensen is het "Zo vader, zo zoon", maar bij mij is het "Zo zoon, zo vader",' zei hij, waarop hij een cursus Het Schrijven Van Verhalen bestelde bij de firma Eurodidakt. Er is in Nederland het weerzinwekkende en angstaanjagende aantal van 150.000 mensen die schrijven voor hun hobby, en vanaf toen waren dat er 150.001. De docent van de schrijfcursus was de leraar Nederlands Hans ter Mors, die lang geleden bij De Bezige Bij een verhalenbundel heeft uitgegeven met de titel *De dealer en de organist* (waaruit in de lessen natuurlijk veelvuldig werd geciteerd). Deze Ter Mors heeft het nog betreurd dat mijn vader zich bij zijn cursus inschreef, want mijn vader (oud-vakbondsbestuurder en erg links in de jaren zeventig) was en is niet iemand die zich dingen laat voorschrijven. Vaak ging hij in discussie met de leraar Nederlands (mijn vader vond bijvoorbeeld dat het onderscheid literatuur-lectuur zo langzamerhand uitsluitend bedoeld was om leraren Nederlands aan het werk te houden) of weigerde hij strikt om bepaalde onzinopdrachten in te leveren. Zo moest hij, nadat hij volgens Ter Mors twee boeken niet voldoende had 'samengevat', de opdracht nog een keer uitvoeren. Dit pikte mijn vader niet.

'Ik ben deze cursus niet begonnen uit de behoefte er later geld mee te verdienen (dat wordt toch gekort op mijn vut-pensioen) of om het volk wat mee te geven, maar om mezelf tot geestelijke activiteit te zetten,' schreef hij aan Ter Mors. 'Het moet echter wel leuk blijven. Ik vind het niet leuk als ik me voor de tweede keer moet gaan verdiepen in die troep.'

Opvallend was het dat mijn vader na deze brief uitsluitend nog negens en tienen scoorde met begeleidende teksten als: 'U hebt talent! U geeft meesterlijke staaltjes van zelfironie! U hebt de juiste toon gevonden!'

Ik opperde dat het voor mijn verhaal over mijn vaders voetbalherinneringen misschien beter was om samen naar de verbouwde Kuip te gaan en Feyenoord weer eens te zien spelen (waarvan mijn vader vroeger supporter was). Hij vond dit prima, zei hij, maar draaide er in de weken daarop zo vaak omheen dat het duidelijk was dat hij er tegenop zag (en uiteraard was ik te laks om snel iets te regelen).

De laatste keer dat mijn vader en ik samen naar een wedstrijd waren geweest, was toen we DS'79 uit zagen spelen tegen FC Amersfoort (de uitslag weet ik niet meer). Dit was in 1980 en we waren net van Dordrecht naar Soestdijk verhuisd. Mijn vader kende de Socialistische Internationale uit zijn hoofd en had dus geen rijbewijs, waardoor Amersfoort de enige te bezoeken club in de omgeving was. Onderweg terug naar Soestdijk kreeg ik een lekke band, wat een slecht voorteken was, want het jaar daarna ging FC Amersfoort failliet. Hierdoor viel het betaalde voetbal voor mijn vader en mij niet meer te befietsen.

'Waarom kijken we niet gewoon een keer naar een wedstrijd van Feyenoord op de televisie?' stelde mijn vader voor, toen ik een zondagmiddag wilde uitzoeken, 'dat lijkt me makkelijker voor jou.'

Nu was het voor mijn verhaal eigenlijk veel mooier geweest wanneer ik er een raamvertelling van zou maken, met de Kuip als raam en mijn vaders herinneringen als vertellingen (zo heb ik het althans bij mijn Autodidakt-cursus geleerd), maar een avond voetbal voor de buis moest een bijna net zo 'werkbaar kader' zijn. Een geschikte Feyenoord-wedstrijd viel echter niet te prikken, en dus kozen we het duel uit de Champions League tussen Casino Salzburg en Ajax (niet echt mijn vaders favoriete club, hoewel ze de afgelopen vijftig jaar heus twee of drie leuke spelcombinaties hadden laten zien).

Toen ik die woensdagavond aankwam, zat mijn vader op zijn vaste plek in de huiskamer. Op de tafel voor hem lag achteloos een stapel papier. Hij zei, wat flauwtjes wijzend op de print-uitdraai: 'O ja, ik heb mijn voetbalherinneringen alvast opgeschreven. Lees het maar voordat we over voetbal gaan praten, want ik weet niet of je me daarna nog iets hoeft te vragen.'

Ik was verbaasd. Aarzelend pakte ik de vellen van tafel.

'Het zijn ongeveer drieduizend woorden, dus je mag ze wat mij betreft rechtstreeks in je verhaal zetten,' zei hij genereus.

'Zal ik vragen of het honorarium ook rechtstreeks aan je overgemaakt kan worden?' vroeg ik, maar mijn vader schudde van nee, omdat dan zijn pensioen in gevaar kwam. Terwijl hij in zijn kookatelier een maaltijd ging concipiëren en mijn stiefmoeder zich druk maakte dat er die avond alwéér voetbal werd uitgezonden, las ik mijn vaders voetbalanekdotes.

Kijk, en daardoor zit ik nu in een netelige situatie.

Als je gewend bent om altijd alles voortdurend en zonder uitzondering negatief te benaderen, als je een pure misantroop bent die almaar een beetje in z'n cynische humorpotje zit te roeren, als botte onverschilligheid je levenshouding is, als je niets en niemand met een open en blij gemoed kunt beschrijven of behandelen, als je een zwartgallige kankerpit, een filister en een geniepige uitlacher bent kortom, hoe moet je dan in godsnaam over je vader schrijven? Ik bedoel: zonder hem af te zeiken of anderszins voor gek te zetten.

Punt is: ik heb helemaal geen zin om op mijn eigen etterige manier over mijn vader te schrijven, want mijn vader is een lieve, goede man die mij nooit iets heeft misdaan, anders dan dat hij mij (met mijn moeder en al mijn andere fantastische opvoeders) een gelukkige jeugd, een evenwichtige opvoeding en een verdomd gedegen start in deze gemene baggerput genaamd het leven heeft gegeven. Ja, dat soort dingen mag godverdomme ook wel eens gezegd worden. Die man heeft jarenlang belasting betaald!

Het probleem is echter (ik zal het schrijfproces even ter discussie stellen) dat ik ervoor moet waken dat mijn vaders voetbalherinneringen al te truttig en te braaf worden. Als ik ergens poep van kots is het truttige literatuur, zeg maar de boeken van Jan Siebelink. Ik bedoel acute hersendoodverwekkende verhalen over gereformeerde jeugdtrauma's anno de jaren vijftig in armetierige provincieplaatsjes op de Veluwe of in Drenthe, hoe je dat ook spelt.

Punt is tevens dat toen mijn vader in de keuken lekker begon te kookhouwen en ik las wat hij zich herinnerde aan voetbalverhalen, en vooral hoe hij dat had opgeschreven, mij de moed in de schoenen zonk. Vermakelijk geschreven anekdotes waren het, daar niet van, maar voor een generatiegenoot van de jongere broertjes van Charles Bukowski, J. D. Salinger en William S. Burroughs misschien toch (hoe zeg je dat op z'n Eurodidakts...) misschien toch wat gezeglijk.

'Tussen mijn vijfde en twaalfde jaar,' begon mijn vader in zijn eigen verhaal, 'was ik vaak te vinden op een groot terrein in de buurt van ons huis, dat de Veemart heette. Bijna dagelijks verzamelden hier zich grote groepen jongens, die urenlang een tot voetbal bewerkte prop papier over het veld trapten, totdat die in flarden was uiteengereten, of totdat ze naar huis moesten om te eten. Af en toe deed ik ook wel eens een schamele poging om me in het strijdgewoel te mengen, maar meestal gaf dit weinig succesvolle resultaten, omdat ik de oudere jongens door mijn aanwezigheid belette het spel te spelen. "Joh, rot op," kreeg ik dan te horen, "je lôôp voor me pôte...!"'

O nee, dacht ik na deze eerste alinea, in godsnaam geen herinneringen aan vriendjes met rare namen, maar ik had deze gedachte nog niet verwerkt of ik las: 'Wat me ook altijd is bijgebleven, was de rotstreek die mijn oudere broer en zijn vriend Jantje de Boer (die om onduidelijke redenen altijd Oetjie werd genoemd) mij leverden. In de rust van een wedstrijd drukte Oetjie wat geld in mijn handen met de opdracht drie ijsjes te kopen, waarop ik onmiddellijk langs het veld begon te rennen. Toen ik een twintigtal meter was gevorderd, hoorde ik plotseling Oetjie mijn naam roepen, waarna hij mij duidelijk maakte dat ik maar twee ijsjes moest kopen in plaats van drie. Dat kon, misschien had hij geen trek in ijs. Maar toen ik even later terug was met twee ijsjes, gaf hij er één aan mijn broer en de andere vrat hij zelf op. De verontwaardiging die mij toen overviel, voel ik na precies vijftig jaar nog!

Ik was ongeveer dertien jaar toen mijn vriendje Siempie Sluysdam me overhaalde bij Emma te gaan spelen. Dankzij het feit dat de wedstrijdsecretaris een bekende van mijn vader was, werd ik meteen in Emma C opgesteld. Mijn positie was linkshalf. De eerste wedstrijd verloren we met 13-1, maar dat kwam omdat we tegen Sliedrecht B speelden; die club had haast geen jongens van twaalf jaar en moest noodgedwongen oudere jongens opstellen. De volgende wedstrijd verloren we slechts met 8-2 tegen de plaatselijke tegenstander ODS. De progressie zat er dus zeker in. Siempie zei tijdens deze wedstrijd tegen me: "Robbie, foeballe kejje nie, maar je werk azze paard." Dat was het enige en daardoor grootste compliment dat ik ooit van hem of iemand anders heb gekregen voor mijn voetbalcapaciteiten.'

'Kun je er wat mee?' vroeg mijn vader, toen ik een paar bladzijden in zijn voetbalverhaal had gelezen. Hij ging op de bank zitten met een bak aardappels op zijn schoot. Een door mij bewonderde schrijver (ik weet bij God niet meer wie) schreef eens dat hij als het decorum dat vereiste zijn mening over alles zou inslikken of verzwakken, behalve als het ging om literatuur. De literatuur was het enige waarvoor deze man zich niet wenste te conformeren aan anderen. Dat was je, wanneer je je schrijverschap serieus nam, aan jezelf verplicht, vond deze schrijver. Ik wou dat ik dat principe er ook op na kon houden, maar mijn gevoel voor decorum heeft een eigen willetje, waartegen ik me niet kan verzetten, en al helemaal niet als het om de geschriften van mijn vader gaat.

'Vind je het wat?' vroeg mijn vader nogmaals, nadat ik weer een bladzijde had omgeslagen. Als ik een vent was had ik toen gezegd: 'Pappa, je werk azze paard.'

De memoires vervolgden: 'Na een paar maanden hield ik ermee op omdat ik op zaterdagmiddag tekenles moest gaan nemen. Mijn vader had besloten dat ik enig tekentalent had. Ik geloof niet dat ik vreselijk onder deze ruil gebukt ging. Hoewel ik daarna nooit meer regelmatig actief geweest ben, heb ik toch jarenlang een band met Emma gehouden. Dat kwam voornamelijk door het feit dat ik zowel op de MULO als tijdens mijn eerste ambtelijke jaren contact had met Cor, de jongste van de vier gebroeders Van der Gijp, die deel uitmaakten van het roemruchte Eerste elftal van Emma in de jaren rond 1950. Freek en Janus van der Gijp hadden al heel lang een plaats in dit elftal en later kwam broer Wim erbij, de vader van de bekende RTL-komiek René van der Gijp. Cor was, meen ik, nog maar een jaar of zeventien toen hij ook in het Eerste werd opgesteld. Precies weet ik het niet meer, maar ik geloof dat het elftal getraind werd door de destijds legendarische coach Richard Dombey.

Ja, wat herinner ik me nog van de Gijpies? Freek was de oudste en speelde op een van de binnenplaatsen in de voorhoede. Hij had geen bijzondere kenmerken, behalve dat hij een betrouwbare voorhoedespeler was. Janus speelde rechtsbuiten. Als hij de bal naar de hoekvlag dreef, renden de anderen onmiddellijk naar het doel, want er kwam gegarandeerd een hoge voorzet. Janus had nog een andere kwaliteit. Zelf heb ik het niet meegemaakt, maar ik ben ervan overtuigd dat het verhaal klopt: op een dag moest hij een pienantie nemen tegen HVV. Voordat hij de bal op de stip legde, zoog hij met veel lawaai een klodder slijm uit zijn neusholte en spoog hij die op de bal. Vol afgrijzen zag de keeper van HVV deze handeling en liet daarna de bal passeren, zonder er een hand naar uit te steken.'

Om dit verhaal moest ik hard lachen. Mijn vader deed net of hij dit niet hoorde. Ook om de volgende geschiedenis moest ik grinniken, ik begon mijn vaders ondermijnende geschrijf zowaar nog leuk te vinden!

'Cor kende ik al van de MULO,' ging het pak van Sjaalman verder, 'heel vaag herinner ik me uit die tijd dat hij samen met een ander voetbaltalent, Dick (zijn achternaam weet ik niet meer), tijdens de jaarlijkse wedstrijd tussen de leraren en de leerlingen de eersten op een vreselijke manier gedold heeft en het leerlingenelftal een monsterzege heeft bezorgd. Van die Dick stond er in die tijd een foto in de plaatselijke krant waarmee hij nogal geplaagd werd, want door een ongelukkige lichtval, gecombineerd met een king-size voetbalbroek in de wind, leek het alsof Dick daar stond met een levensgrote erectie.

Wie ik van het befaamde Emma-elftal ook wil noemen is de slingerback, Wim van der Starre, hard maar eerlijk, behalve als hem in het veld een fysiek geintje werd geflikt. Dan stak hij een vinger op en zei slechts: "Da's eenmaal, broer". Als hij dan weer onheus werd bejegend, zei hij: "Nou nog maar één keer, broer". En als hij dan een derde keer werd geraakt, duurde het meestal niet lang, of je hoorde een bot gekraak en een felle kreet, gevolgd door een speler van de tegenpartij, die kreunend op de grond lag terwijl Wim hem onder toevoeging van de woorden "ik heb je drie keer gewaarschuwd, broer, maar je wou niet luisteren" behulpzaam overeind trok. De scheidsrechter had uiteraard niets gezien.

Maar om weer terug te komen op Cor: wethouder De Munter van Sociale Zaken was in die tijd tevens voorzitter van Emma en heeft ervoor gezorgd dat Cor, in die tijd ongeveer twintig jaar, een baantje kreeg bij de Sociale Dienst. Dan kon hij namelijk zo vaak verlof op nemen als nodig was voor de training van het Nederlands Elftal (dat destijds geheel uit amateurs bestond). Cor is meegeweest naar de Olympische Spelen van 1952 in Helsinki, waar Nederland echter geen rol van betekenis speelde. Toen Cor na een paar weken weer terug was op onze afdeling, Maatschappelijk Hulpbetoon, hebben we nog vele keren de uitreiking van een Olympische medaille nagedaan. Dan stond Cor op een stoel en keken wij ambtenaren vol devotie naar hem op, onder het zingen van het Amerikaanse volkslied, volgens Cor zowat het enige volkslied dat in Helsinki gespeeld werd.

Toen het betaalde voetbal werd ingevoerd, zijn de gebroeders Van der Gijp uitgewaaierd naar andere clubs, waarschijnlijk omdat die in staat waren de spelers meer geld te bieden dan Emma. Als profclub heeft Emma daarna nooit veel betekend, net als DFC en EBOH, die het overigens alle drie slechts een paar financieel wanhopige jaren hebben volgehouden. Alle inspanningen van wethouder De Munter ten spijt weigerden de drie verenigingen om clubchauvinistische redenen te fuseren. Was dat wel gebeurd dan had Dordrecht zeker een landelijke topclub gehad. Cor heb ik later nog wel eens zien spelen bij Feyenoord.’

Terwijl mijn vader in de keuken onze maaltijd vervolmaakte, bedacht ik dat dit toch wel een behoorlijk vreemde manier was om te duiken in de wereld die mijn vader heet. Echt diepgaande gesprekken over de dingen van zijn leven hebben we eigenlijk nooit gevoerd, en nu kom ik er plotseling achter dat hij heeft gewerkt bij een afdeling die 'Maatschappelijk Hulpbetoon' heette. Wat was dat voor een club? Dat moet ik hem toch eens vragen. En wat ik ook niet wist was dat mijn vader vroeger schijnbaar ook al over voetbal schreef:

'Totdat ik in 1962 mijn been brak, ben ik nog wel een paar keer linksbinnen geweest in een elftal bestaande uit ambtenaren van de Sociale Dienst. We speelden tegen teams van het Raadhuis en de Politie. Van dat laatste elftal herinner ik me dat ik tegenover een inspecteur stond (hij heette Heger, geloof ik), die als hij aan de bal was, door zijn maten consequent en zeer beleefd met "Tikkie... Mijnheer" werd aangeschreeuwd. Eén keer, toen we samen achter de bal aanrenden, maakte ik een zijdelingse beweging, waardoor hij languit ter aarde stortte. Het enige dat hij zei, was: "Dat moet je niet meer doen, vriend." Toch vond ik het wel een prettige gedachte om ongestraft een inspecteur van politie naar de grond te hebben gewerkt. Als aardige bijverdienste mocht ik voor het *Dordrechtsch Nieuwsblad* over alle wedstrijden een zogenaamd cursiefje schrijven tegen vier cent per regel. De aanslag op inspecteur Heger heb ik daarin waarschijnlijk uitgebreid vermeld.'

'Heb je de stukjes die je voor de krant schreef nog?' vroeg ik, toen mijn vader de schalen met hap-art binnenbracht. Mijn vader lachte hard, zei dat die niets voorstelden en dat hij alles had weggegooid. Aan tafel probeerde ik hem verder uit te horen over de tijd dat hij geregeld naar Emma ('Het mooiste voetbal van Nederland speelden ze daar, althans dat vonden wij') en Feyenoord ging, maar op veel vragen antwoordde hij: 'Ja, dat heb je dan waarschijnlijk nog niet gelezen, maar daar heb ik ook al over geschreven.' En daarbij wilde mijn stiefmoeder liever niet dat we aan tafel over voetbal praatten. 'Dat kinderachtige gehobbel,' zei ze.

Na het eten verdwenen mijn vader en ik naar het hobbelhok in de kelder, waar mijn vader zich altijd terugtrekt als er gevoetbald wordt op tv. Mijn vader heeft daar zijn computer, donkere kamer, boekenkast, werktafel en beeldbuisje, zodat hij mijn stiefmoeder niet hoeft te vervelen met het zichzelf zijn. Dáár zou iemand eens een roman over moeten schrijven, over die vrouwen die het niet kunnen uitstaan dat hun mannen met liefde anderhalf uur lang kunnen kijken naar tweeëntwintig andere mannen. Denk maar niet dat er één vrouw is die met plezier een peloton sekse-genoten volgt. Het is pure jaloezie, die voetbalhaat van vrouwen.

Beneden las ik verder in mijn vaders herinneringen. Over de keer in de oorlog dat hij een provisorische wedstrijd van DFC bezocht, waar plotseling een grote groep Italiaanse krijgsgevangenen, bewaakt door zwaar bewapende Duitsers, het veld opkwam om de wedstrijd te volgen. Dit was een verzetje voor die Italianen, dus ik mag wel zeggen dat ook mijn vader, hoe jong hij ook was, in de oorlog bij het verzet heeft gezeten.

Ook vertelden de memoires over de keer dat hij Johan Cruijff had zien voetballen in de Kuip: 'Gerard van Kerkum hield dat knulletje helemaal in bedwang, en ik meen zelfs dat Feyenoord van Ajax won met 9-4, maar dat zou ook een andere keer geweest kunnen zijn.'

Mijn vader had één herinnering die nóg door zijn hoofd spookt als hij bij een interland de volksliederen ziet spelen: 'Wanneer het was, weet ik niet meer (het moet halverwege de jaren zestig zijn geweest) en tegen welk land ook niet, maar ik ging met een toenmalige vriend, een orthodox socialist, republikein en principieel Europeaan, naar de Kuip voor een wedstrijd van het Nederlands Elftal. Toen de volksliederen gespeeld dreigden te worden, zei mijn vriend, tot mijn stomme verbazing: "Ik vind dat we moeten gaan staan." En toen stond hij daar in zijn dooie eentje in een woud van zittende supporters die het niet konden opbrengen om zich naast hem te verheffen. Zoiets deed je niet! Twee volksliederen lang heeft mijn vriend strak in de houding gestaan, terwijl ik, gekweld door tegenstrijdige gevoelens, naast hem zat. We hebben daarna nooit meer over dat incident gesproken.'

Na nog een paar alinea's begon mijn vader het in zijn tekst plotseling over ene 'jij' te hebben. Het duurde even eer ik begreep dat hij mij daarmee bedoelde.

'Jij was een jaar of zeven, toen we in het begin van de jaren '70 in de stadswijk Crabbehof de sportwinkel van Cor van der Gijp bezochten. Jij was inmiddels als pupil aangemeld bij EBOH, en we gingen voetbalattributen voor jou uitzoeken. Een hele wand van die winkel was vrijgemaakt voor een vele vierkante meters grote foto van het eerste elftal van Feyenoord, dat in die tijd nogal succesvol was. Maar daar had jij geen belangstelling voor. Voor jou was er toen alleen EBOH en verder niks.'

Toen ja, maar ik was pas zeven! Ik was zeven jaar, wil ik hier als verdediging aanvoeren! Later ben ik me heus wel voor Plato gaan interesseren en de onzegbaarheid van de waarheid en Sanskriet en dat soort dingen!

'Als jij een thuiswedstrijd had, kwam ik altijd kijken. Je moet toegeven dat ik nooit fanatiek naar je heb geschreeuwd, zoals veel andere vaders (tegen hún zonen, bedoel ik). Ik kan me slechts één voorval herinneren, waarin ik als een bezetene stond te roepen naar een jongetje dat kennelijk een listig plannetje had uitgebroed. Terwijl de andere spelertjes met z'n twintigen tegelijk verbeten trachtten de bal weg te schoppen, hield hij zich in zijn eentje op bij de keeper van de tegenpartij. Ik vermoed dat hij dacht: als ze de bal nou meteen naar mij trappen, dan kan ik hem hem er zó inleggen. Intelligent gevonden, maar ik heb nog nooit iemand zó buitenspel zien staan. Dat riep ik ook naar hem, maar hij hoorde me niet. En ik stond daar te gillen, terwijl hij op z'n dooie gemak naar dat gedoe in de verte stond te kijken en wachtte op zijn kans. Toen ben ik naar hem toegelopen, om hem te vertellen dat hij buitenspel stond. Hij begreep niets van mijn uitleg, maar was ten slotte toch bereid zich weer in de massa te storten, waarschijnlijk alleen omdat ik een grote vent was en hij een klein jongetje. En ik was z'n vader, dat scheelde ook.'

Gaan we afzeiken, ouwe? dacht ik, nadat ik deze passage las. Mijn vader had inmiddels de televisie aangezet en hij zat te kijken naar de voorbeschouwing van Casino Salzburg-Ajax. De laatste alinea van zijn manuscript vertelde over zijn meest recente voetbalherinnering. Onlangs zag hij in zijn kelder het Nederlands Elftal met veel geluk gelijkspelen tegen het Noorse. In de jaren vijftig was hij er in de Kuip bij dat Nederland Noorwegen afslachtte met 9-3. Volgens de commentator was die uitslag echter 9-0, en toen wist mijn vader het plotseling niet meer. 'In mijn herinnering maakten die Noren toch echt drie tegendoelpunten,' was mijn vaders laatste zin.

Ik legde het verhaal weg, juist op het moment dat in Wenen de aftrap werd genomen. Het stapeltje papier stopte ik zuchtend in mijn koffer.

'Nou pappa, je hebt me een aardig kunstje geflikt,' zei ik.

'Hoezo?' vroeg mijn vader, zogenaamd verrast.

'Het was de bedoeling dat ík over jouw voetbalverleden ging schrijven, niet jij. Ik bedoel: dit is mijn beroep, ik moet ervan leven, jij bent gepensioneerd en kunt doen wat je wilt. Lekker makkelijk, ja. Stel nou dat iedereen die die vrijheid heeft maar een beetje verhalen gaat zitten schrijven, dat zou een mooie boel worden, pappa, dat zou me leuk worden voor al die schrijvers die naggelen voor iedere cent. Literatuur is geen lolletje, laat me je dat vertellen, literatuur is ploeteren, ploeteren, ploeteren, en als jullie emeriti ons nu ook nog eens werk uit handen gaan nemen, is dat werkelijk geen stijl!'

Mijn vader grinnikte, en zweeg. We keken vervolgens naar zo'n beetje de saaiste wedstrijd die we samen ooit hebben gezien.

'Maar wat vond je er nu eigenlijk van?' vroeg mijn vader abrupt, vlak voor rust. We hadden tot dan toe eigenlijk alleen met een half oog naar het scherm gekeken en elkaar verteld over de computerspelletjes die we kenden.

'Van je verhaal, bedoel je?'

Mijn vader knikte.

'Pappa,' zei ik, 'laat ik het zo zeggen: je hebt talent! Je geeft meesterlijke staaltjes van zelfironie! Je hebt de juiste toon gevonden!'

Mijn vader accepteerde deze complimenten minzaam.

'Dat vind ik zelf eigenlijk ook wel,' besloot hij.

'Ich bin eine holländische Schriftstellerin!'

Woensdag 6 oktober 1993, Amsterdam, 07.30 uur

Dertig bekende en minder bekende onuitgeslapen schrijvers betreden onwennig de luxe touringcar van firma NZH Travel. Het woord 'schoolreisje' klinkt overal, en iedereen doet een beetje giebelig over het naderende uitje. Bien étonnés de nous trouver ensemble, denken velen, want onder de reizigers zitten afvaardigingen uit het hele literaire firmament: prozaisten, essayisten, dichters en kinderboekenschrijvers. Middelbaar zit naast oud, critici naast door hen geëerde dan wel gekraakte schrijvers, toppers als A.F.Th. van der Heijden, F. Springer en Doeschka Meijsing naast relatief onbekenden als Paul Verhuyck, Ellen Ombre, Anna Enquist en Kees van Beijnum. Deze auteurs werden door hun uitgeverijen De Arbeiderspers, Querido, Leopold en Nijgh & Van Ditmar (alle onderdeel van Singel 262) ruw achter hun schrijftafels vandaan gerukt om twee dagen lang naar de Frankfurter Buchmesse te gaan. Aanleiding voor dit ludieke cadeautje is het *Schwerpunkt Flandern und die Niederlande*, dat de Nederlandse literatuur zal doen opstoten in de hele wereld!

Ik stel vast dat ik met mijn zevenentwintig jaar de jongste in de bus ben. Samen met de op één-na-jongste, Oscar van den Boogaard (29), neem ik plaats op de achterbank, omdat 'het tuig nu eenmaal altijd achterin zit', volgens de persjuf van Nijgh & Van Ditmar, Ineke Boerrigter.

De chauffeur heet Hans, maar waar ik een beetje op had gehoopt gebeurt niet: hij begint geen conference en zet ook geen meezingers in. De schrijvers moeten het zelf maar gezellig maken. Traag rijdend door het Hollandse laagland (we zitten in een file) praten Oscar en ik over de ingekaktheid van de literatuur, het gebrek aan lef en over het kwalitatief zeer hoogstaande, maar risicoloze werk van schrijvers als Marcel Möring. Hoewel we beiden niets van elkaar gelezen hebben zijn we het Heel Erg Eens met elkaar.

Ik vind dat literaire vetes en onenigheden op horen te houden zodra schrijvers hun pen neerleggen (of nee, dat klinkt een beetje ouderwets, zodra ze hun tekstverwerker uitzetten). Als ik Doeschka Meijsing, die mijn tweede roman *Giph* in *Elsevier* 'zelfmoord' noemde, in het gangpad naar het koffiezetapparaat zie lopen, doe ik dan ook niet kleinzielig en steek ik opgewekt mijn hand uit. Meijsing herkent me niet, maar als ze mijn naam hoort, zegt ze niet eens vreselijk onvriendelijk: 'Wij moeten een dezer dagen maar eens even ernstig praten, Gip.'

Ondertussen deelt reisleider Alphons Peters (van uitgeverij Querido) stroopwafels rond en ontdekt uitgerekend Theo Bouwman, directeur van de Weekbladpers (waartoe Singel 262 behoort), hoe het koffiezetapparaat precies werkt, nadat enkele schrijvers hem nogal jammerlijk zijn voorgegaan. Schrijvers horen ook eigenlijk geen koffie te kunnen zetten, vind ik.

Vlak voor de eerste stop neem ik plaats naast Doeschka Meijsing. Tijd voor een ernstig gesprek tussen criticus en besprokene, tussen tante en vervelend neefje. Hoewel ze mij het gedrag en de uitlatingen van mijn hoofdpersonen aanrekent, me beschuldigt van 'verongelijktheid' en me hatelijke opmerkingen toebijt ('Heb je weer lekker een opschrijfboekje bij je? Ga je weer leuke anekdotes over schrijvers vertellen?'), kan ik toch niet boos op haar zijn. 'Ze heeft het beste met je voor,' zegt Oscar later vergoelijkend, als ik mijn tranen zit weg te knijpen.

Waldbrunnen, 12.30 uur

We lunchen in een poenig sporthotel zo groot als Papendal. Hoeveel debutanten blijven er als gevolg van deze uitspatting onuitgegeven, vraag ik me af, kijkend naar de grote tafel met uitgestalde Duitse lekkernijen. Als iedereen warme braadworsten en roerei heeft opgeschept, maak ik een foto van het etende gezelschap. Leuk als illustratiemateriaal. Wat kan er mis mee zijn dat iemand van dit schrijversreisje een verslagje maakt? Daar kan een heleboel mis mee zijn, blijkt later.

Na de lunch neemt niet Hans, maar een nieuwe chauffeur het woord: 'Goedemiddag. Mijn naam is Ron. Ik neem aan dat u wilt weten waarom Hans niet verder rijdt. Dat komt door de bustijdenwet. Een chauffeur mag niet te lang achter het stuur zitten. Het blijft verlakkerij natuurlijk, want ik ben hier met de auto gekomen en Hans gaat nu met die auto weer terug. Maar goed, je moet je aan de wet houden, niet?'

In de bus reageert men uiterst meelevend. Zeker drie schrijvers besluiten ter plekke een roman over deze interessante en aangrijpende kwestie te schrijven.

Bij het lopen door de bus maak ik mijn eerste Gigantische Blunder. Ik zie de dichter Jan Eijkelboom zitten, die net als ik een geboren Dortenaar is. Wat niemand in de wereld verder weet is dat Dortenaren elkaar onderling 'schapekoppen' noemen. Dit stamt nog uit de tijd dat de Spanjaarden Dordrecht belegerden en de inventieve Dortenaren lammetjes aankleedden als baby's om hen aan de borst van vrouwen de stad binnen te voeren en vervolgens op te eten. Deze truc (die ik persoonlijk mooier vind dan dat ordinaire turfschip van Breda) werkte wonderwel en sindsdien hebben de Dortenaren een guitig koosnaampje voor elkaar.

'Zo, schapekop,' zeg ik in het voorbijgaan tegen Jan Eijkelboom. De oude dichter en vertaler kijkt me niet-begrijpend aan. Om ons heen wordt verbaasd gereageerd. Watzeidie, watzeidie, hoor ik uit allerlei hoeken.

'Ik ben namelijk zelf ook een schapekop,' probeer ik onmiddellijk iedereen in de bus gerust te stellen.

'Ja, dat zie ik,' zegt Eijkelboom, volgens mij nogal bits.

'Schept een band, hè?' roep ik nog, onder het weglopen, me wanhopig afvragend: O Lord, wás het wel Jan Eijkelboom die ik een schapekop noemde? Ik zal toch verdomme niet de dichter Ed Leeflang een schapekop hebben genoemd?

Viernheim, 15.45 uur

De straat naast ons hotel heet de Anne Frank Straße, wat ik als eerste ontdek en uiteraard heel hard door de bus roep. Ineke Boerrigter geeft me een harde tik op mijn been. Lisette Lewin, schrijfster van het ontroerende boek *Voor bijna alles bang geweest* (over de onderduikperiode van de dochter van een Duits-joodse emigrant), draait zich geïnteresseerd om en vraagt me het straatbordje aan te wijzen.

We overnachten in het luxueuze hotel Continental, op zestig kilometer van Frankfurt. Er wordt omgeroepen dat we een uurtje vrij hebben zodat we op onze kamers even wat kunnen rusten. Mijn kamer is ruim en royaal. Badend in het ligbad laat ik mij de lekkernijen smaken die aangeboden door mijn uitgeverij als welkomstgeschenk op mij lagen te wachten, in de wetenschap dat er volgend jaar minstens vier gevoelige dichtbundels minder kunnen verschijnen.

Weer beneden in de hal blijkt later De Man Die Ik Een Schapekop Noemde inderdaad Jan Eijkelboom te zijn.

Onderweg naar Frankfurt, 17.45 uur

De liefste leukste vind ik Lisette Lewin. Ze is zo heerlijk zichzelf en een van de weinigen die wel eens hardop een grap maakt. Als de reisleiding bijvoorbeeld een kleine verandering in het programma meedeelt en een paar mensen daar morrend op reageren, roept Lewin door de bus dat ze 'een brief aan de Vakantieman gaat schrijven'. Ook tekende ik al eerder het volgende dialoogje op.

'Is dit het toilet?'

'Nee Lisette, dat is de koelkast.'

'Aha. Ik vond het al zo'n klein hokje.'

Geluid van een opengaand deurtje.

'Nou, die wc is ook niet veel groter, zeg.'

Onderweg naar het restaurant besluiten Van den Boogaard, Lewin en ik dat het zo jammer is dat niemand in de bus liederen zingt. Via een omweg krijgen we het over de liedjesschrijver Jacques van Tol, die zowel gore nazi-propaganda componeerde als prachtige meezingnummers. Lisette zingt met zachte stem: '*Als op het Leidseplein de lichtjes weer eens branden gaan, en 't is gezellig op het asfalt in de stad. En bij het Lido gaan de blinden voor het raam vandaan, dan gaan we kijken naar dat sprookje, lieve schat.'* Bij mijn weten de enige keer dat er in de bus gezongen is.

Frankfurt, Restaurant Imperial, 19.15 uur

De weg naar ons restaurant is afgezet, er zijn tribunes gebouwd en duizenden Duitse literatuursupporters scanderen juichend onze namen als wij ons door de haag van fotografen en filmploegen naar onze tomatensoep wringen. Ik kom aan tafel te zitten bij Thomas Rosenboom (die na het boek *Vriend van verdienste* jarenlang werkte aan zijn nieuwe roman *Gewassen vlees*) en de al even charmante schrijfsters Hilde de Bresser en Gerry van der Linden. Inmiddels heeft een cameraploeg onze gezellige *Stube* weten te penetreren om er ongevraagd te filmen. Hè, wat zijn mensen er toch altijd op uit om de privacy van anderen te verstoren!

Terwijl we F. Springer tegen een Nova-journalist horen zeggen 'Dit is een schoolreisje, maar we voeren serieuze gesprekken', verorberen we onze zalm en praten we over de vervlakking van de taal. Rosenboom zegt: 'Als ik morgen zou moeten omschrijven hoe de sfeer aan deze tafel was, dan kan ik antwoorden: "Leuk." Er zijn echter nog veel meer woorden die ik net zo goed kan gebruiken (onderhoudend, aangenaam, plezierig, amusant, belangwekkend, vermakelijk, verstrooiend), maar kies ik een van hen, dan word ik onmiddellijk tot een aansteller bestempeld. Dat is toch zonde?'

Net als we willen overschakelen op een liederlijker

onderwerp, worden we met zwepen terug naar de bus gejaagd.

Frankfurt, Alte Oper, 20.30 uur

Nederland is nu vijf dagen *Schwerpunkt* in Duitsland, wat toch een beetje schril afsteekt bij de vijf jaar die Duitsland *Schwerpunkt* in Nederland is geweest. De literaire *Blitzkrieg* en theatershow 'Ebene Erhebungen' die Nederland en Vlaanderen Duitsland willen aanbieden, komt dan ook niet van de grond. Gewone Duitsers hebben zestig mark betaald om in de neue *Alte Oper* zo'n beetje alles mis te zien gaan wat er mis kan gaan. De dronken technici maken er een sport van schrijvers voor gek te zetten. Zo leest Eddy van Vliet een lang en droevig gedicht over zijn zieke vader voor, terwijl achter zijn rug de vertaling in het Duits wordt geprojecteerd, *ondersteboven*. Na afloop van de voorstelling bezetten de verzamelde Nederlandse boebo's (boekenbonzen) de ruimte voor de bar, en vergeleken met het afsluitende *Karibischen Fest* is een bingomiddag in een bejaardenhuis een wilde uitspatting.

Ook zijn er bijna meer rondtrekkende Duitse cameraploegen dan Duitse lezers. Een van de televisiejournalisten stort zich op onze eigen Gerry van der Linden (dichteres/schrijfster).

'Wer sind Sie?' vraagt hij dreigend.

Gerry antwoordt verschrikt: 'Ich bin eine holländische Schriftstellerin!' – wat we later nog vaak tegen elkaar zullen roepen als *running gag*.

Zo langzamerhand merk ik trouwens dat mijn vrienden uit de bus me heel sterk beginnen te mijden. 'Jij zit ons toch maar in de gaten te houden om over ons te schrijven,' zegt een schrijfster min of meer grappig bedoeld, en als ik bij een groepje ga staan, hoor ik pesterig: 'Ssst, daar is Ronald, die houdt alles bij voor een stukje.'

Welnu, de angst van deze mensen is ongegrond, en laat me ter geruststelling vertellen dat alle schrijvers de hele avond alleen maar mineraalwater hebben gedronken en na hun tanden te hebben gepoetst in hun eigen bed in slaap zijn gevallen, met de handjes devoot boven de lakens.

7 oktober 1993, Viernheim, 08.45 uur

Eindelijk, eindelijk heb ik het aangedurfd om F. Springer aan te spreken, met de goedvoorbereide en welluidende volzin: 'Goedemorgen, meneer Springer.'

Ik ontbijt samen met hem, *Ehebruchsachverständige* Marjo van Soest en boebo Herman Menco. De tafelconversatie is gewijd aan de vraag of je als auteur een Japanse vertaling moet corrigeren. We besluiten na een lange, verhitte discussie van niet.

Dan is het grote moment aangebroken. Zenuwachtig schuifelen we naar de bus voor het eigenlijke doel van deze trip: ons bezoek aan de *Buchmesse*.

Frankfurt, Buchmesse, 11.45 uur

'Je laat toch ook geen koeien in een slagerij rondlopen?' horen we iemand van uitgeverij Meulenhoff smalend zeggen, als we na een half uur eindelijk het gebouw en de hal en de verdieping en de hoek hebben ontdekt waar de Nederlanders zitten. De andere uitgeverijen vinden het maar raar dat er plotseling een peloton Vaderlandse schrijvers langs komt schuifelen. Hier wordt gehandeld en toeristen lopen eigenlijk alleen maar in de weg, vinden ze. Vertalingen moeten worden binnengesleept en verkocht, daar gaat het om. De schrijver Kees van Beijnum en ik worden er erg melig van. Het wordt al vlug een sport om met de gewichtigheid van de meeste standhouders de draak te steken door over grote afstand naar elkaar te roepen: 'Kees, Senegal is rond!' Of: 'Ronald, de Fidji-eilanden zijn geïnteresseerd!' Ook vertellen we overal fluisterend dat 'Harry hem heeft'.

Om één uur 's middags vervoeg ik mij bij de stand van De Bezige Bij, waar journalisten en cameraploegen zich verzameld hebben. Harry heeft de Nobelprijs niet, Hugo ook niet, Toni heeft hem. De journalist Ad Fransen zegt: 'Toni Morrison? Ik dacht dat dat de linksback was van Arsenal.'

Inmiddels heeft de reisleiding een serieuze poging gedaan om de homogeniteit van onze schrijversgroep te doorbreken. De auteurs van De Arbeiderspers en Nijgh & Van Ditmar krijgen als lunch een paar blokjes kaas op een koffieschoteltje, terwijl die van Querido natuurlijk weer worden gefêteerd op noedels, krab, salades, exquise pasta's, noem maar op. Gelukkig krijgt men ons 'als groep' niet uit elkaar en blijft de *teamspirit* overeind.

Tijd gaat snel als je plezier maakt. Niemand uit Senegal heeft daadwerkelijk enige interesse in één van ons getoond, maar desalniettemin laten we ons al om kwart over drie tevreden weer opsluiten in de bus voor de terugtocht.

Huiswaarts, 20.45 uur

Loom liggen we in onze stoelen, als in die reclame voor De Flevohof. Om me heen voeren Theo Bouwman, Marita Mathijsen en H.J. de Roy van Zuydewijn (dichter, vertaler van Homerus) een discussie over de vraag of Thomas van Aquino een condoom met een gaatje erin zou hebben omgedaan, of niet. Ik geloof dat ze besluiten van wel.

We spreken met z'n allen af dat we ons vlak voordat we bij de uitgeverij aankomen voor onze ouders zullen verstoppen onder de banken. Als ik later lig te doezelen en na te denken hoe ik aan mijn ouders deze reis zal omschrijven (onderhoudend, aangenaam, plezierig, amusant, belangwekkend, vermakelijk of verstrooiend) houdt onze bus plotseling ruw stil op de vluchtstrook.

Ruw stil? Op de vluchtstrook?

Wat is er aan de hand? Sommige schrijvers staan op en kijken naar voren. Waarom gaan we hier stilstaan? Buiten zie ik gek genoeg televisiewagens (Nova?) naast onze bus stoppen, gevolgd door tientallen politiewagens op een afstand. Er vliegen helikopters over. Een paar cameraploegen komen gehaast uit hun auto's en beginnen onze bus te filmen. Ze registreren onze verbaasde gezichten. Dan gaat de deur van de bus open en er stormen plotseling drie zwaarbewapende terroristen binnen. Ze zijn ongeschoren. Breed grijnzend staat er één in het gangpad naar het verzamelingetje verbijsterde Nederlandse schrijvers te kijken. In zijn handen heeft hij een handgranaat.

'Dies ist eine Highjack!' schreeuwt hij.

O God! Een kaping door mediaterroristen! Er heerst onmiddellijk complete paniek. Deze lui zijn vast ontsnapt en hebben niets meer te verliezen. Een spoor van dood, verderf en misère achter zich latend trekken ze over de Duitse snelwegen voor een onherroepelijke criminele zwanezang. Daar hoor je vaak genoeg verontrustende berichten over.

'Keine Witze machen!' schreeuwt een andere ontvoerder, als een paar schrijvers onverhoopt beginnen te huilen en te jammeren. Het middenveld van de FC Nederlandse Literatuur is goddomme in gevaar! Wat zullen ze ons aandoen? F. Springer blijft als een van de weinige schrijvers rustig. Diplomatiek probeert hij een gesprek te beginnen met onze belagers, maar het loopt op niets uit.

Terwijl één van de kipnappers gemeen glimlachend in de bus met een machinegeweer begint te draaien, geven zijn kornuiten buiten een hilarisch interview aan de verzamelde Duitse en Internationale pers. In de luxe touringcar heerst ondertussen een verslagen stemming. Een paar uur geleden werden we als vorsten gefêteerd op lekkernijen en waardering, thans zijn we overgeleverd aan een stelletje gevaarlijke gekken. Waar is de Vakantieman als je er een nodig hebt?

Nadat we een kwartier in angstige ontreddering hebben gewacht op de onvoorspelbare gruwelijkheden die gaan komen, bestijgen de twee andere misdadigers de bus weer. Een van hen roept: 'Wir gehen jemand todschießen! Nichts persönlichs, aber wir müssen eine Tat stellen. Für die Televisionpresse!'

Ik geloof dat zo'n beetje iedereen in de bus verstijft van schrik.

'Das ist ein Gewaltakt!' roept een moedige essayist door de bus, waarschijnlijk om de terroristen eens een lesje te leren.

'Ah, sie wollen ein Freitod, alter Schnauz?' blaft een van de bruten, waarna de man zich zo klein mogelijk maakt. De drie kidnappers stellen zich op aan het begin van het gangpad. Het is duidelijk dat ze daadwerkelijk iemand willen ombrengen. Luid schaterend staan ze om zich heen te kijken.

'Nah, wer?' roept er een. 'Wer ist Freiwillige?'

Geparaliseerd van angst durven de schrijvers en critici niet naar elkaar te kijken.

'Aber, müssen wir denn jemand anweisen?' brult een kaper in het gezicht van Tom van Deel, waarna hij de Hollandse dichter bij zijn schouders pakt. Van Deel krimpt ineen.

'Ein Freiwillige, oder wir schießen Sie alle Tod!' roept een kaper plotseling woedend. Ik zucht. Het wordt tijd om in te grijpen. Langzaam sta ik op en met de rust van een monnik begin ik naar voren te schrijden.

'Nehmen Sie mich,' zeg ik kalm tegen onze ontvoerders, als ik halverwege het gangpad ben. In mijn ooghoeken zie ik alle schrijvers verwonderd en ook dankbaar naar me kijken.

'Gip, ga zitten, dit is zelfmoord,' bijt Doeschka Meijsing me gehaast toe, waarna ik even mijn hand op haar schouder leg om haar gerust te stellen. Bij de kidnappers aangekomen vraag ik of ik een laatste woordje mag spreken tot mijn collega's. Dit wordt mij gegund en ik draai me naar het gezelschap.

'Lieve vrienden,' begin ik, met een ijzeren opgewektheid, 'iemand zal hier om onzinnige redenen een nutteloze dood moeten sterven. Welnu, laat mij dat zijn. Ik ben de jongste onder ons, ik heb de minste emotionele banden, ik heb geen kindermonden te vullen en ook geen schulden, ik heb het minste schrijfervaring en daarbij maar twee romans geschreven...'

'Maar wij hebben ons leven al geleefd en onze boeken al geschreven, laat één van ons zich opofferen,' roept een al wat oudere schrijfster, met tranen in haar ogen.

'Nee,' zeg ik berustend, 'je bent wie je bent, en niet wie je nog kan worden. Vrienden, wie waarlijk leeft heeft in zichzelf een onvernietigbare veer, een stille kracht die elke weerstand tart. Heb lief en hoop en wees bereid. Gegroet.'

Na deze woorden is het even stil. Ik steek mijn hand op, zwaai en draai me om naar de deur, waar de terroristen me opwachten.

'Ronald,' hoor ik achter me roepen. Het is de stem van Tom van Deel.

'Mogen we je namens de literatuur hartelijk bedanken?' vraagt hij emotioneel.

'Graag gedaan, joh,' roep ik joviaal, mijn duim opstekend.

Als ik op het asfalt stap, weergalmt het nekschot over het weiland.

Klein vuil

Lol

Het is bijna onmenselijk om je alleen al voor te stellen in wat voor erbarmelijke omstandigheden ik deze tekst concipieer, hoe diep ongelukkig en van God en iedereen verlaten ik hier in het holst van de nacht achter een kille nachtportiersbalie in een uitgestorven ziekenhuis eenzaam en niet geheel meer helder zit te schrijven. En toch doe ik dit uitsluitend voor mijn lol (dit schrijven, bedoel ik, niet dit werken, want dat is voor de poet, voor het ziekenfonds, voor de zekerheid dat ik kan blijven schrijven zonder me te hoeven verhoereren aan wetenschap, journalistiek of boekenvak). Eerlijk gezegd ben ik nogal tevreden over mezelf, vooral zo 's nachts als ik zit te pennen. Dit is geen grappig of ontwapenend bedoelde boutade, dit is gemeend waar: met een halve erectie van opwinding en met het zweet parelend in mijn bilnaad, weet ik soms van pure opwinding niet meer hoe fantastisch ik mezelf vind als ik schrijf. Meestal kom ik wat stroefjes op gang, maar als de ideeën en vondstjes eenmaal gaan stromen, begint mijn lichaam klaarblijkelijk enorme hoeveelheden endorfine aan te maken, genoeg om me verslaafd te houden aan mijn eigen schrijverij. Met andere woorden: *I get high on my own supply*. Waar komt toch het gevoel vandaan dat ik mij hiervoor eigenlijk zou moeten schamen?

Stel je eens een *maître de cuisine* voor die in extase de

laatste hand legt aan een kleurrijk bord voedselporno, een countertenor die met zijn oogleden trillend op elkaar een perfecte uitvoering geeft van de solo uit Pergolesi's *Stabat mater* die begint met 'Quae morebat...', een clipdirector die een ruwe versie cut van wat later een classic zal worden: zou ooit een criticus het in zijn hoofd halen te beweren dat de kok, de alt en de clipper geen lol hebben in wat zij doen? Stel je dan voor de verandering eens een schrijver voor. In de echt bedroevend ongeïnspireerde 'scholierenbijlage' die geldontvanger *Vrij Nederland* en grote geldschieter CPNB ieder jaar gezamenlijk uitgeven, besprak Carel Peeters (echt iemand waar schoolmeisjes plaatjes van langs hun kruisjes halen om in hun agenda's te plakken) dit jaar in het openingsartikel de bundel *Max. 36*, een verzameling verhalen van jonge schrijvers (VN 39, 26 september 1992). Ik ben blij dat ik geen scholier meer ben. Tot tweemaal toe wist Peeters de potentiële literatuurliefhebbertjes af te schrikken met zijn angstinboezemende adagium: 'Er is niemand die voor zijn lol schrijver wordt.' Ik moet altijd even slikken als ik dit soort dingen lees. Lig ik nacht aan nacht in een acute darmontsteking van het lachen om mijn eigen taalgrappen, hoor ik van Peeters dat ik iets geworden ben dat niemand voor zijn lol wordt. Volgens Peeters noemen de Fransen het *la condition écrivain*: 'Een toestand van nog net draaglijke dagelijkse paniek, en dat gedurende jaren.' Alleen echte schrijvers kennen deze schrijverstoestand. Onder ons, ik word kotsmisselijk van deze vorige-eeuwse kijk op het schrijverschap. Waarom wordt literatuur toch almaar als iets hogers gezien? Waarom is het vervaardigen van literatuur alleen voorbehouden aan martelaren, heiligen, ongelukkigen, asceten, serieuze zelfkwellers die met blinde overgave hun hele leven in dienst stellen van de Gewichtige Zaak der Letteren, of, in de woorden van Peeters, 'woestijnkatten waarop de piramiden van het verleden meewarig neerkijken'?

Peeters onderwijst verder dat schrijvers, hoewel ze schrijven een kwelling vinden, niet anders kunnen dan te schrijven, dat een échte schrijver zich genoodzaakt voelt te schrijven en dat die noodzaak door de tijden heen *het enige criterium is dat standhoudt*: 'Of dit gedicht, deze roman of dit verhaal geschreven móést worden.'

Welnu, als Peeters dit echt meent is hij een incompetente criticus die bijzaken met hoofdzaken verwart. Niet de nauwelijks te destilleren 'noodzaak' is hét criterium bij de beoordeling van literair werk, maar de vraag of het werk al dan niet overtuigt, of het – om het op z'n scholiers te zeggen – goed geschreven is, *mooi* is, of de literaire smaakpapillen erdoor gestreeld worden. 'Noodzaak' is in mijn ogen (ik zal het even uitleggen) niet meer dan een *stijlmiddel* dat een schrijver al dan niet in zijn werk kan stoppen (zoals 'spanning' ook een stijlmiddel is, volgens W.F. Hermans). Natuurlijk kan leed, onvrede of een overtuigingsdrang een schrijver vleugels geven, maar het is geen definitie dat dit goed werk oplevert. Er zijn genoeg kloteboeken die geschreven móésten worden. Don't get me wrong, ik vind het prachtig als een schrijver zich met religieuze bezetenheid toewijdt aan de letteren en 'zijn jaren vergooit aan obsessies en papieren illusies'. Prachtig, echt waar, maar geen voorwaarde en zeker geen criterium.

En waar ik ook uitermate kregel van word is het altijd terugkerende verzinsel dat schrijvers niet anders kunnen dan te schrijven. Waar slaat dit op? Niemand maakt mij wijs dat een schrijver – desnoods met een pistool op zijn hoofd – geen goede groenteboer zou zijn. Dat 'niet anders kunnen' heeft te maken met het 'niet voor je lol schrijver worden'. Voor je lol word je voetballer, wiskundige, neurochirurg, chippendale of zelfs criticus, maar schrijver? Nee. Vergeef me de uitdrukking, maar iemand die iets tot zijn levensopdracht bombardeert dat hij niet in eerste instantie voor zijn lol doet, zo iemand is gek. Je bent toch van lotje knor als je je leven lang iets doet waar je geen plezier in hebt?

Eerlijk gezegd geloof ik ook niet zo in de opofferingen die Peeters noemt, dat martelaarschap. Ik twijfel eraan of schrijven werkelijk wel zo moeilijk is, zo'n enorm dagelijks gevecht, zo'n paniekerige lijdensweg. Volgens mij slaat hier het kanker van De Pose weer toe; de drang om van schrijven meer te maken dan het is en het voortdurend te omhullen met mythes en oppijperij. (Zo is er een schrijver die zes bureaus nodig heeft, en zegt een ander van een boek: 'Dit móést op groen papier geschreven worden.')

Vrij naar een stelling van Mulisch is een schrijver niets meer dan een eerste lezer van zijn werk. Als niemand voor zijn lol schrijver wordt, is het vreemd dat de analoge redenering dat niemand voor zijn lol lezer wordt, niet opgaat. Een *condition liseur* bestaat niet. Zou de reden waarom een lezer leest anders zijn dan de reden waarom een schrijver schrijft?

'Schrijven omdat je het "wel leuk" vindt,' schrijft Peeters, 'is de beste weg om via het vagevuur in de hel van de middelmatigheid te belanden.' Als ik zoiets lees, kan ik alleen maar denken: maar jemig, hoe moet dat dan met mij? De enige reden waarom ik schrijf is omdat ik het alleraangenaamst vind stiekem tekstjes te masturberen en van mezelf te genieten terwijl iedereen slaapt. Ik doe wat ik doe *omdat* ik er lol in heb. Zodra ik er geen lol meer in heb, stop ik.

Dit gezegd hebbende zie ik over de rand van mijn balie hoe het buiten langzaamaan begint te dagen. Zo dadelijk zet ik, volkomen verdoofd van de endorfine, een punt achter dit stuk. En straks, als iedereen weer op zijn werk is, zal ik in bed liggen, uitgelachen, verzadigd, bevredigd en mezelf ongetwijfeld in slaap wiegend met de gedachte: deze tekst móést geschreven worden, deze tekst móést geschreven worden.

Schrijfnijd

Onlangs zat ik met een levensgezellin te pimpelen in het oergezellige theatercafé De B. (toevallig waren we net onze relatie aan het beëindigen, met alle opbeurende gemoedstoestanden van dien), toen er iemand uit mijn horeca-verleden naar ons tafeltje stapte. In zijn kielzog volgde een jongen met een beschaafde krullekop en een ziekenfondsbrilletje, type *NRC*-lezer. De horeca-kennis groette mij overenthousiast (zoals ex-horeca-collega's bij een begroeting altijd doen alsof ze elkaar na een slepend ziekbed of een langdurige gevangenisstraf eindelijk weer terugzien) en zodra we de gebruikelijke plichtplegingen achter de rug hadden, zei mijn oude vriend knipogend, wijzend op zijn begeleider: 'Hij, hij heeft je boeken gelezen.' Wat ik nu ga zeggen, klinkt misschien geborneerd, verwaand, verwend of blasé, maar zo'n opmerking als die van mijn oudcollega vind ik aardig, hoewel ik er niet juichend van achterover sla. De tijd dat ik mijn persoonlijke welzijn liet afhangen van het feit of anderen mij al dan niet lazen, begint behoorlijk achter mij te liggen. Om de mij onbekende kennis van mijn kennis echter niet te bezwaren zei ik zo vriendelijk mogelijk: 'Dat is mooi, joh,' daarmee hopend dit ongewilde gespreksonderwerp te beëindigen. Niet dat ik er vies van ben om in het openbaar of privé over 'mijn boeken' of 'mijn schrijverschap' te praten (graag zelfs), maar in een droevig gesprek over overspel, het nut van seksuele bevrediging en de toekomst van mijn relatie, had ik er minder behoefte aan.

'Nou *mooi*... Over of ik je boeken mooi vind moeten we het nog maar even hebben,' zei mijn kennis' vriend echter nogal bits, blijkbaar doodsbang dat ik zou denken met een fan van doen te hebben. Het is mijn mening dat decorum belangrijker is dan eerlijkheid. Ik had er niet om gevraagd te worden verveeld met de mededeling dat iemand mijn boeken kende en nog minder wenste ik ongewild op de hoogte gebracht te worden van iemands mening over mijn werk. Ik weet niet waarom ik me zo druk maakte, maar onmiddellijk stoof ik op.

'Hoezo moeten wij het daar "nog maar even over hebben"?' beet ik de jongen toe. 'Waar haal jij het vandaan dat ík een gesprek met jóú zou willen voeren? Wat interesseert het mij wat jij van mijn boeken vindt? Wie ben jij dat jij je zo belangrijk acht mij in een gesprek met mijn vriendin te storen?'

Mijn vriendin, die dus een uur later niet meer mijn vriendin zou zijn, probeerde mij te sussen, maar dit lukte haar niet. 'Ik ken jouw soort wel,' brieste ik verder tegen de verschrikte pseudo-intellectueel voor mij. 'Als er één soort is die ik de laatste tijd heb leren kennen, dan is het wel de enorme schare gefrustreerde leeftijdgenoten die zelf ook denkt te kunnen of te willen of te moeten schrijven. Als jouw soort mannetjes wegens talentloosheid of het gebrek aan stof of doorzettingsvermogen al jullie miezerige poginkjes zien mislukken, gaan jullie kleinzielig zitten afgeven op jongens en meisjes die het wel lukt te presteren wat jullie graag willen presteren.'

Mijn oud-horeca bekende schatte mijn stemming goed in. 'Kom, Czeslaw-Jeanmarc, we gaan,' zei hij tegen zijn vriend.

'Ondermaatse jongetjes die me schrijven dat ze "de strijd met me aangaan"; jongens die in een café naar me toestappen om me beledigingen mee te delen; jongens die me dronken vertellen oprecht te hopen dat mijn nieuwe boek zal floppen; jongens die boze brieven en recensies naar mijn lijfblad *Vooys* sturen met ordinaire kift en achterklap; jongens die voor mijn debuut achter mijn rug lacherig tegen mijn kennissen riepen dat ik volgend jaar al vergeten zou zijn (terwijl de wereld nog steeds in bange afwachting is van hun pennevruchten en ik inmiddels voor *Vooys* mag columneren); jongens die geperverteerd zijn door jaloezie en schrijfnijd, kortom. Ik haat jouw soort, weet je dat? Kan ik er wat aan doen dat ik wél talent en organisatievermogen heb, en jou deze simpele eigenschappen blijkbaar ten enenmale ontbreken?'

Czeslaw-Jeanmarc en mijn ex-collega bëindigden nu eenzijdig het gesprek en liepen haastig van mij vandaan, terwijl ik hen nog almaar onverklaarbaar woedend nariep: 'Ik word moe van ongevraagde misprijzende reacties op mijn boeken, vooral als die komen van schrijvende leeftijdgenoten. Ga je studie Nederlands afmaken, minkukel, word criticus of uitgever, of journalist – nog erger –, maar in godsnaam, doe zelf eens wat! Zorg dat er van jou eens iets in druk verschijnt, zodat we het daar "nog even over kunnen hebben". Voor die tijd laat ik me niets meer door jou en je honderdduizend medeuitvreters vertellen!'

De jongens waren al uit het café verdwenen, maar ik kon niet meer stoppen. 'Vanaf nu laat ik me niets meer door geen enkele leeftijdgenoot zeggen. Voorlopig kan iedere onderdertiger die mij ongevraagd aanmatigende meningen over mijn boeken wil meedelen, rekenen op een genadeloze hand pinda's naar zijn hoofd. Sterker nog: ik zal schijten op mijn afgunstige leeftijdgenoten. De zielige masturbantjes die lullig doen over mijn standaardwerken maar me ondertussen overstelpen met hun eigen slordige manuscriptjes in de hoop dat ik ze zal introduceren bij mijn uitgeverij; de pathetische flutschrijvertjes die op mijn oprechte belangstelling naar hun verhaaltjes zeggen dat ze het "niet nodig vinden om zo snel al te debuteren, want snelheid is nooit goed"; de verliezers voor wie het niet belangrijk is dat er mooie, vernieuwende en kwalitatief hoogstaande verhalen en romans geschreven worden maar voor wie maar één ding werkelijk telt: namelijk waar te maken wat ze al jaren roepen, dat ze schrijver zijn. Jongens en meisjes die het niet om het schrijven zelf gaat, maar om de erkenning en de roem. Ik kots op iedereen die alles slecht vindt wat een ander schrijft louter omdat het slecht is wat hij zelf schrijft. Kijk, Gerard Reve mag dingen over mijn werk zeggen, Tom Lanoye mag dat, Joost Zwagerman natuurlijk, maar een leeftijdgenoot nu juist niet. Een leeftijdgenoot moet eerst zelf maar eens wat presteren, wil ik met hem verder praten.'

'En nu wil *ik* weer even met je praten,' onderbrak iemand mijn geschuimbekte monoloog.

Met bloeddoorlopen ogen zocht ik wie dit gezegd had. Mijn vriendin gebaarde dat ik eindelijk eens even rustig moest doen. Mensen keken naar me, dat vond ze vervelend. Ik ging weer bij haar zitten, herstelde me, en een half uur later waren we weer in een diep gesprek over *rebounding*, de reikwijdte van mijn penis en de vraag of we eigenlijk nog wel bij elkaar pasten. We besloten van niet, mijn nognet-vriendin en ik, waarna we op volwassen wijze ons levens-liaison verbraken.

De afgunstige leeftijdgenoot vergat ik geheel.

Bij het afrekenen echter keek het kleine roodharige barmeisje met het bleke, mooie gezicht mij indringend aan. Ze gaf me mijn wisselgeld terug, hield haar hand net iets te lang in mijn hand, en zei met een licht Brabantse tongval: 'Ik vond dat je gelijk had, net met die jongen. Ik heb je beide boeken gelezen en ze waren prachtig. Trek je niets aan van al die jaloezie. Het is goed dat je zo'n misbaksel eens de waarheid hebt gezegd.'

Ik knikte dankbaar en toen ik bij de uitgang stond (ik hield de deur open voor mijn nieuwste ex-vriendin) zwaaide ze nog even naar me, het roodharige barmeisje, terwijl ik ondertussen bijna stiekem dacht: ik ben een vrij man, ik hoef me niet te schamen als ik vannacht van jou dromend in slaap val.

Het Protocol van Heilig Ontzag

'Als ik me rot voel, stel ik me gewoon even voor hoe Vestdijk er nu uitziet, en dan voel ik me een stuk beter.'

In mijn herinnering heb ik ooit eens van iemand in het café gehoord dat dit gezegd zou zijn door de later krankzinnig geworden *Propria Cures*-auteur Robert Anton Loesberg. Ik kan me eerlijk gezegd niet voorstellen dat zo'n uitspraak vlak na Vestdijks dood enige commotie heeft gegeven, maar je weet het natuurlijk nooit zo vlak na de oorlog. (Who is this Vestdijk anyway?) Vul voor Vestdijk Bilderdijk in, en de betekenis vervaagt al helemaal. Ik geef toe: hoe dichterbij de sterfdatum, hoe leuker de grap. Schrijf ik: 'Als ik me rot voel, stel ik me voor in welke staat van ontbinding Johan Polak nu verkeert,' dan is de kans groot dat ik mensen weer eens smakeloos grief (wat overigens onzinnig zou zijn want Polak is gecremeerd – maar dit terzijde). Over dode schrijvers maakt men geen grappen. Over literatuur maakt men sowieso geen grappen. Dit heeft te maken met wat ik (waanzinnig scherp, eigenlijk) genoemd heb: Het Protocol van Heilig Ontzag.

Waar dit Protocol vandaan komt zou ik niet weten, maar het bestáát. Om een of andere reden schijnen mensen altijd in hun broek te plassen van ontzag als het om literatuur gaat (ik heb het dan natuurlijk wel over mensen die kunnen lezen, niet over de met kratten bier en zakken chips voor de prolevisie gestationeerde, voortdurend boeren en scheten latende *Hitbingo*-kijkers). Voor mensen met een beetje fatsoen (wij dus eigenlijk) is literatuur van oudsher een respectabele zaak, zijn schrijvers en dichters belangrijke mensen, en boeken de vrucht en het toonbeeld van onze beschaving. Om een voorbeeld te geven: *Hier is Van Dis* werd algemeen beschouwd als een veel eerbiediger programma dan ik noem maar een *Avro's Service Salon*, want Van Dis interviewde geen wc-brilontwerpers, taugékwekers of coprafagie-verslaafden, nee, hij praatte met *schrijvers*. En schrijvers, ja, dat zijn de goeroes en lichtende paden van hun tijd. Ik ben niet paranoïde, echt niet, maar Het Protocol houdt deze bijna religieuze verering van literatuur en de eerbiedwaardige positie van schrijvers om mij onbegrijpelijke redenen in stand.

Hoe ben ik daar achter gekomen, zult u zich afvragen, achter deze doctrine van Het Protocol? Interessante kwestie. Ik vermoed dat het een paar jaar geleden geweest zal zijn. Ik heb een rare liefhebberij, waar ik me niet voor schaam: ik mag graag scheuren. Boeken verscheuren, bedoel ik. Uiteraard verscheur ik liever geen boeken die me dierbaar zijn; als ik zin heb om me even heerlijk ongegeneerd af te scheuren dan trek ik meestal een boekje uit het daartoe bij de Slegte aangeschafte stapeltje kutboeken, om dit – onder het toeziend oog van huisgenoten of kennissen – achteloos aan flarden te raggen. Jemig, de reacties die ik daarop krijg, daar schrik ik toch iedere keer weer van.

'Mag ik misschien een met mijn eigen, zuur verdiende geld gekocht bezit zélf kapot maken als ik dat wil?' vraag ik, als mijn toekijkers verschrikt roepen dat je zoiets toch niet doet, toch niet doet?!

'Maar dat is cultuurbezit!' riposteert er altijd wel weer iemand bijna huilend als ik net een Brakman van één gulden vijfentwintig heb versnipperd, 'dat mag je toch niet kapotmaken? Piccasso verscheur je toch ook niet?'

'Ligt Piccasso in stapels bij de Slegte?' vraag ik dan maar, de sfeer meestal helemaal verpestend. Boeken verscheuren, dat kan klaarblijkelijk niet. Wat ook niet kan: bij het antiquariaat dichtbundels van Tachtigers kopen, deze opensnijden (wat bijna nooit is gebeurd), met een fijnlijner overal strategische letters veranderen (in 'heffen' de h) of toevoegen (in 'stond' een r), boven een openingsregel ''k Zie hem al staan,' de titel kalligraferen 'Zie ginds komt de stoomboot', en vervolgens het boek voor een iets lagere prijs ongezien terug laten kopen door de antiquaar. Toen een van mijn huisgenoten mij dat met een vriend zag doen, werd zij wit en stil. 'Ohhoh,' zei ze werkelijk walgend, 'maar dat is Willem Kloos!'

Het stigma ernstig en eerbiedwaardig te zijn, is onuitroeibaar. Het mooist manifesteert zich dit in de wetenschap. Dat de wetenschap zich überhaupt verwaardigt aandacht te besteden aan literatuur is natuurlijk al een voorrecht (ik heb althans nog nooit gehoord van faculteiten die zich bezighouden met de fenomenologie van modeltreinbouw of de perceptie van korfbal), maar dat de wetenschap zich met zo veel verve en belastinggeld op de letteren heeft gestort, dat grenst bijna aan het ongeloofwaardige. Omdat van al het respectabele de wetenschap het allerrespectabelst is, kan de wetenschap waar het de letteren betreft natuurlijk niet aankomen met een simpel en objectief overzichtje van schrijvers en boeken, neenee, uitsluitend de allermoeilijkste, allerondoordringbaarste, allermeerduidigendste literaire werken worden écht gewaardeerd en toegevoegd aan de canon. Bladerend in de literatuurgeschiedenissen en -theorieën is het mij elke keer weer duidelijk dat schrijvers die tot de canon van de wetenschap doordringen, op z'n minst *serieus* zijn (geworden). Humor en wetenschap verdragen elkaar niet. Schrijvers als Brusselmans en Lanoye (die al jarenlang warmmenselijke, diepgevoelige en hilarisch grappige boeken schrijven) krijgen van de wetenschap nauwelijks aandacht; daarvoor zijn hun boeken te veel gespeend van ontzag voor literatuur, of nee, van ontzag voor ontzag voor literatuur. De boeken van drs. Brusselmans (die in zijn aanzet tot een thesis over belangwekkende Vlaamse schrijvers, *De Geschiedenis van de Wereldliteratuur*, een paragraaf begint met: 'Deze week maar 's drie oelewappers tegelijk, dat schiet lekker op') en drs. Lanoye (die in zijn essaybundel *Vroeger was ik beter* het werk van de schrijfster Mireille Cottenjé erg 'lanoyeiaans' probeert te duiden: '...haar schaamlippen beginnen te flapperen, haar kropgezwel piept, en ze doopt een pennehouder in haar ranzige spleet om met haar draderige lichaamsvocht een nieuw levensboek aan te vangen') zijn te veel om te lachen, en lachen is niet respectabel. Zo'n volstrekt humorloze maar wel heel erg ingewikkelde, erg literaire schrijfster als De Moor (heden Margriet, vroeger Wam) daarentegen, zal binnen de kortst mogelijke tijd ongetwijfeld tot de canon van de wetenschap behoren, net als Marcel Möring. Lekker hoor, kunnen weer hele werkgroepen studenten gezamenlijk metaforen peuren, en dieptelagen, en structuren, en intertextualiteit met 11de-eeuwse teksten uit het Sanskriet. Is een schrijver eenmaal in de canon van de wetenschap opgenomen dan zal iedere scheet die hij ooit gelaten heeft heel gewichtig en belangrijk tot op de molecuul worden besnuffeld, en ook de voorstudies van die scheet, en alle afwijkende versies, en de positie van die scheet ten opzichte van de andere scheten van de schrijver.

Waartoe dient Het Protocol, zult u willen weten? Ook daar heb ik een antwoord op. Het Protocol verleent een aura van verhevenheid. Wie 'in de literatuur' is, mag zich beter voelen, is eigenlijk een hoger mens. En dat is waarom er (net als met God) met literatuur niet gespot mag worden. Dit laatste maakt Het Protocol nu juist zo vermakelijk. Die verschrikte ogen als je in het openbaar even een goede boom opzet over de kutscheten van Hella Haasse, of oprecht veinst Frans Kellendonk te hebben gezien, eerlijk, ik leef daar op. Het leuke aan dit soort opmerkingen is, dat helemaal niemand dit leuk vind, zoals ook niemand kan lachen om het verkrachten van mooie regels. Jezus, nu ik erover nadenk: eigenlijk kan het mij niet grof en smakeloos genoeg, als het maar indruist tegen dat truttige en benepen ontzag voor 'het geschreven woord'. Ik hou van proza dat als een zichzelf onderschijtende mongool op me toekomt. Zo, en nu ga ik weer eens lekker even scheuren.

Welwelwelwel, T. van Deel goes meer verhalend

Omdat ik verschrikkelijk eerlijk en integer ben, wil ik voor ik mij onledig ga houden met zijn essaybundel *Als ik tekenen kon*, eerst vertellen wat voor gevoelens ik nu eigenlijk koester voor de literaire alleskunner T. van Deel.

In mijn debuutroman *Ik ook van jou* stonden een paar onschuldige, goedbedoelde plagerijtjes over het metaforengehuppel van de dichter T. van Deel. De criticus T. van Deel dacht echter: jij steekt in mijn rug, ik in de jouwe – en hij rustte niet eer hij mijn boek (een gevoelvolle autobiografische roman over een schuchtere jongen en een zichzelf voortdurend met een scheermes verminkend meisje), betiteld had als 'neuken en nog eens neuken'. Dit was geen onschuldig terugpesterijtje, dit was een vileine en erg rancuneuze, erg onterechte, erg grievende opmerking (die ik in mijn vertederende naïviteit geuzerig op de achterflap van *Giph*, mijn tweede roman, citeerde).

'Je zal zien dat als een schrijver alle critici beledigt, zijn boek slecht besproken zal worden,' zei de hoofdpersoon van dat boek stoer, en louter in deze context noemde hij Van Deel (overigens verbazingwekkend treffend): 'Zijn leven lang een metafoor voor een penis, gekeken naar dat eikelachtige kale hoofd en dat lange lullige lichaam.' De opmerkingen waren niet persoonlijk bedoeld, maar Van Deel doopte zijn pen wederom in vloeibare haat en besprak mijn boek, prompt één week na verschijning, vol afschuw. Van Deels humorloze medestrijdsters Janet Luis en Doeschka Meijsing sloten zich nog diezelfde week bij hem aan. Van studenten Nederlands aan de Universiteit van Amsterdam hoorde ik dat Van Deel, nu weer als docent Moderne Letterkunde, zich zelfs in door de belastingbetaler gefinancierde colleges zeer misprijzend over mijn boeken heeft uitgelaten (objectiviteit geldt tegenwoordig blijkbaar niet meer in de wetenschap).

Het moge duidelijk zijn dat de voortdurende agressie van Van Deel mijn mening over hem lichtelijk gekleurd heeft. Ik ben maar een mens en godverdomme niet een of andere christen! Ik vind het vervelend dat Van Deel zich zo hanig en kleinzerig gedraagt, omdat niet alleen mijn boeken in het geding zijn, maar ook de integriteit van de literatuur (zo, die zit). Ik dacht: zou Van Deels onaardige gekift over mijn boeken mijn mening over zijn werk beïnvloeden?

Met dit in gedachten kreeg ik onverwachts Van Deels essaybundel *Als ik tekenen kon* onder ogen, enige tijd geleden verschenen bij uitgeverij Querido. Het kostte me waarlijk grote moeite om dit boek eerlijk en openhartig ter hand te nemen, maar ik zweer dat ik het geprobeerd heb.

Het is niet gelukt.

Als ik tekenen kon is een essaybundel, met allemaal lachwekkend gewichtige stukken over de relatie poëzie en beeldende kunst, een heel ferm afrekeningetje met twee dode schrijvers, een interview met Anton Koolhaas (ook al dood), een hilarisch polemisch artikel ter verdediging van de Neerlandistiek (bijna dood), en... een verhaal! Jawel, T. van Deel goes proza. En het is juist dit verhaal waar ik zo onnoemelijk blij mee was. De gezaghebbende criticus T. van Deel verwaardigt zich om het talentloze schrijversgepeupel nu eens te laten zien hoe het allemaal wél moet (hou dat woordje 'wel' even in de gaten, daar kom ik nog op terug).

'De kouros van Naxos' heet dit 'meer verhalende stuk' (zoals de schaamteloze achterflap van het boek dreigend aankondigt) en T. van Deel verdient het om na dit onmachtige, meelijwekkende broddelgedrocht nooit meer door wie dan ook, noch als criticus, noch als dichter, noch als essayist, noch als jurylid, noch als docent Moderne Letterkunde, noch als *mens*, serieus genomen te worden. Vreugde voor allen die ooit door Van Deel onheus zijn besproken of nog besproken gaan worden: sla dit verhaal erop na en een gevoel van verlichting, of misschien zelfs vertedering, trekt door je heen. Aààààh, die Van Deel, wie is hij dat hij na zo'n wanprestatie nog meningen over andermans proza zou mogen debiteren?

Wat zou uitgeverij Querido in godsnaam bezield hebben om het Van Deel toe te staan deze woordragoût in zijn essaybundel op te nemen? Zou men het verhaal gelezen hebben? Vast niet. Zou Van Deel hebben afgezien van royalty's? Dat moet wel. Uitgeverij Querido verdient het op haar beurt om na deze door haar uitgegeven papierturf nooit meer door wie dan ook, noch als uitgeverij, noch als uitgeverij, noch als *mens*, serieus te worden genomen. De redacteuren van Querido moeten wel gek, blind, in permanente staat van laveloosheid of tot in het absurde meegaand zijn, zo veel flagrante flaters, onzinnige overbodigheid en rammelende taalzooi zij hebben laten staan.

Laat ik om dit te bewijzen niet, zoals polemisch gebruikelijk is, een paar mindere citaatjes uit de tekst lichten (Van Deel is hier een meester in), nee, ik neem gewoon het héle verhaal en ik citeer dit *woord voor woord*. Dat duurt even, maar het lijkt me eerlijker, ook ten opzichte van Van Deel. Zo ben ik dan toch ook weer. 'De kouros van Naxos' begint als volgt:

Hoe vaak ik er al ben aangekomen weet ik niet precies. Tien keer minstens, maar het kan ook wel meer dan vijftien keer zijn.

Dit is dus een prachtig voorbeeld van een slaapverwekkend exordium (om het academisch te zeggen). Eerst roepen dat je iets niet meer precies weet en dat dan vervolgens gaan uitleggen, daar zitten lezers op te wachten. Tien keer, vijftien keer, tweehonderdzevenenveertigmiljardhonderddrieënzestigmiljoenzevenhonderdachttienduizendvijfhonderdnegenenveertig keer, wat maakt het uit? Merk op dat het woordje 'wel' hier wel weggelaten had kunnen worden.

Elke aankomst herhaalt de vorige.

Dichtersgepruttel. Een aankomst die iets herhaalt.

Het schip nadert de stad, die langzaam groeit en van een betrekkelijk vage witte vlek een samenstel van huizen wordt, een kade waarop mensen lopen, een haven waarin allerhande bootjes liggen.

Lees deze zin nog maar een keer. Wat een beschrijvingsonmacht. Een stad die groeit, een 'betrekkelijk vage witte vlek' die 'een samenstel van huizen' wordt en een kade en een haven. Hoe vaak zou Van Deel deze zin hebben overgelezen?

Erachter een grillig gevormd landschap met bergen die wel gemaakt lijken naar een romantisch schilderij. Naxos – zeven uur varen van Piraeus.

'Wel gemaakt lijken naar een romantisch schilderij'. Petje af voor deze vondst. Mooi ook wel weer, dat woordje 'wel'.

Ik zie dat er iets ergs is gebeurd.

Er is iets 'ergs' gebeurd. Wat? Wat? WAT? Wat is er gebeurd? Wat is er zo vreselijk? Hou ons niet langer in spanning! De wereld staat in brand! In Afrika hebben mensen honger! Bosnië staat op het punt vernietigd te worden!

De kade, zo ongeveer het gezicht van een stad aan zee, is verbreed en bestaat nu uit twee wegen.

Aha, een overdrijving, dit moet humor zijn. T. van Deel maakt hier een grapje. Jammer dat dat 'zo ongeveer' heel, heel erg lelijk is.

De ene, de oude weg, is kennelijk voor het lopen, de andere, de nieuwe

Ja, we mochten eens denken dat de andere weg ook de oude was

is voor het rijden in één richting, namelijk naar de boten toe.

Huw? Naar de boten toe? Waar liggen die boten dan? Ben ik nou gek? Die boten liggen toch *aan* de kade. Loopt die weg dan *langs* de kade *naar* de kade toe. Zijn het soms lemmingen, die bewoners van Naxos? Hallo, wakker worden, bureauredactie! Er is hier iets ergs gebeurd!

Het zal wel niet anders hebben gekund, zoals veel dat vooruitgang wordt genoemd, maar mooi is het niet.

Inderdaad. Maatschappijkritiek uit het bejaardenhuis.

De zee ligt nu te ver weg, wat rampzalig is voor het juiste kadegevoel.

Overdrijf toch niet zo, wereldvreemde gek. Er sterven kinderen aan aids, maar T. van Deel noemt het 'rampzalig' dat een zee nu drie meter verder van een kade ligt.

Die kade van Naxos was altijd een geval apart.

Dat we het even weten, hoewel het nut van de mededeling me eerlijk gezegd ontgaat. Waarin de kade van Naxos namelijk verschilt van de kades op andere Griekse eilandjes wordt de rest van het verhaal niet uitgelegd.

Echt mooi kon je hem niet noemen: een weg waar vrij veel verkeer overheen moest, vooral wanneer een schip aankwam of vertrok. In de zomer werd hij 's avonds om een uur of acht afgesloten voor alle verkeer om er rustig eten en drinken mogelijk te maken en vooral ook het heen en weer lopen van de bevolking, de volta.

Jezus, wat een kutzin (komt door die lelijke infinitieven). En is die *volta* nu dat heen en weer lopen of de bevolking?

Om twaalf uur ging hij weer open. De toenemende drukte en het feit dat bij onstuimige golfslag de terrasjes aan de waterkant weinig aantrekkelijk waren, zullen er wel voor gezorgd hebben dat de kade nu een zielloze, brede weg is geworden, met tafeltjes en stoeltjes in de middenberm, verlicht door de lantaarnpalen die vroeger pal aan zee stonden.

Jezus, nóg een kutzin. Een dichter die gebruik maakt van een 'het feit dat'-constructie, leidt aan taalarmoede. En welwel, daar hebben we 'wel' ook maar weer eens. Alwéér overbodig. Overigens een verrassend interessante mededeling, dat van die lantaarnpalen. Kom daar maar eens om bij Homerus.

Gelukkig is er één restaurant aan de kade dat de grootste moeite heeft zich aan welke nieuwe ontwikkeling dan ook aan te passen. De stoelen zijn nog steeds niet van plastic en de tafels niet rond.

Ha! Dat is inderdaad een 'nieuwe ontwikkeling': ronde tafels. Die hadden ze vroeger niet. Vlijmscherpe constatering. (Ik word niet goed.)

Deze eenvoud

Over welke eenvoud hebben we het?

weerspiegelt zich in de keuken, waar het belangrijkste gerecht gegrilld vlees is, 'meat of our own farm' zoals het op een bord staat geschreven.

Ik neem aan dat met 'keuken' de menukaart bedoeld wordt. Of moeten de gasten soms in de keuken eten, zoals 'waar' impliceert? Je weet het niet. Het lijkt of het Van Deel niet interesseert wat hij hier 'meer verhalend' zit te leuteren.

Een paar jaar eerder stond het er anders en hoewel onjuist toch een stuk diepzinniger: 'The meat is our own producer'.

Toegegeven, dit is een stuk diepzinniger. T. 'Wittgenstein' Van Deel: anders, en hoewel onjuist, toch een filosoof.

Dat kan ook van de retsina gezegd worden, want het is de enige wijn aan de kade die niet uit een fles maar uit het vat komt en die uit gebluste oranje aluminium kannetjes van een hele of een halve 'kilo' geschonken wordt.

Dit vind ik nu de mooiste zin tot nu toe, omdat hij zo heerlijk ongegeneerd stompzinnig is. Wat kan er nu 'ook' van die retsina gezegd worden; 'the meat is our own producer'? Hoe kan iemand dit opschrijven en hoe kan iemand op een uitgeverij dit laten staan? Wijn die meat is. Of is het weer een vorm van diepzinnigheid? Ook zo wijsgerig: 'kilo' als liter. Kom daar maar eens om bij de schoolkrant.

Wie eenmaal uit het vat heeft gedronken, bedenkt zich nog wel een paar keer voor hij gaat eten waar de wijn uit flessen komt.

Oké, ik geef het op! Genoeg zo! Voor de vierde keer op ruim één en een kwart bladzij gebruikt Van Deel dat verdomde woordje 'wel'. En wéér overbodig. Ik vind het nu wel welletjes.

Wie zei dat je een rot ei niet helemaal op hoeft te eten om te weten dat het rot is? Het moge duidelijk zijn: dit waren de eerste vier alinea's van Van Deels rotte ei (ruim een vijfde van de totale tekst); de rest van het verhaal is werkelijk even hopeloos. Lees zelf maar na, ik heb er geen zin meer in. 'De kouros van Naxos' is een onmachtig, onsamenhangend, beschamend, van minachting voor literatuur getuigend, 'meer verhalend' stuk kutproza dat ik met liefde omschrijf als: slecht en nog eens slecht. Dit mag Van Deel citeren op de achterflap van zijn volgende boek. En als hij tekenen kon, was het nog niks.

Hoogtepunten

Nice guys don't get laid

Ik verveel me nóóit, met een jongen in de buurt. Ik ben namelijk zo'n meisje dat het leuk vindt om een willekeurige goedzak à la *een* Kramer hoorndol te maken. Jongens zijn vaak zo heerlijk bang iets verkeerd te doen. Voor een gemeen, ad rem en treiterig hyperhypo-meisje als ik is er niets bevredigenders dan hun hoofd op hol te brengen. Zo ontmoette ik Kramer op de promotie van een wederzijdse vriend, waar ik hem urenlang afzeek over zijn kennis van de neurale biologie en hem *en passant* tot vriend benoemde. Vriendvriend bedoel ik, niet meer dan dat, een vriendvriend met wie ik op maandagmiddagen thee wilde drinken om te ouwehoeren over de tragische afmatwedstrijden die ik het weekend daarvoor met mijn domlijvige vrijvriendjes had gevoerd. Natuurlijk bleek Kramer verliefd op mij, natuurlijk, maar ik was hem zogenaamd te wild, te vrij, te onberekenbaar. En ik moest hem niet, dat speelde ook mee, dacht ik.

Altijd onverwachts belde ik hem op om in de stad wat te drinken of in Debielhuizen naar een of ander wild familiefeest te gaan. Weigeren kon hij simpelweg niet, want hij was een lieve vriend. Ook toen ik op een dinsdagochtend in februari in alle vroegte met mijn plunjezak bij hem op de stoep stond om te vertellen dat ik hem meenam naar Schiermonnikoog, was er geen sprake van dat hij misschien niet mee wilde. Ik ging zitten op de rand van zijn bed en zei: 'Je pakt maar gewoon een paar schone onderbroekjes en je tandenborstel, en anders zal ik je kloten even onder je reet vandaan trekken om ze in je anus te draaien, begrijp je?' Glimlachend verzamelde hij zijn spullen, terwijl ik hem zag denken: O, Alina, mijn bruutmeisje, mijn schreeuwmooi, mijn stoere provocatrice.

In de trein naar Groningen legde ik uit dat ik op Schiermonnikoog geacht werd te helpen bij een onderzoek naar de eventuele schadelijke gevolgen voor dieren en planten van een of andere grootscheepse seismologische speurtocht naar aardgas. Of zoiets, weet ik veel. Ik moest erheen omdat het mijn werk was, maar ik had geen zin om drie dagen alleen op een verlaten eiland te zitten. Er zijn op Schiermonnikoog evenveel olifanten als leuke mensen, en daarom mocht Kramer mij vergezellen (volgens de Chinese astrologie is hij namelijk een olifant). In de bus van Groningen naar Lauwersoog sloeg de regen aanvankelijk tegen de ruiten, maar toen we bij de veerboot kwamen brak de februarizon zowaar door de donkere wolken. Ik troonde Kramer mee naar het dek, waar we in de harde wind naar het opkomende eiland keken. Het schip deinde en ik voelde mijn wangen gloeien. 'Gewoon even lekker uitwaaien, Kramer,' schreeuwde ik, terwijl ik me met één hand vasthield aan de reling en met mijn andere twee keer een ironie-teken maakte. 'Even de dynamo opladen...'

Schiermonnikoog is het kleinste eiland van Nederland; er wonen nog geen duizend mensen en het lijkt een beetje op de geïnfrastructureerde spoorwegemplacementen die gescheiden vaders voor hun zoontjes bouwen, maar dan op ware grootte en zonder treinen.

Ik mocht van Het Bureau overnachten in het befaamde hotel annex *luogo di riposo* Van der Werff in het piepkleine centrum van het piepkleine dorpje, maar ik had geen zin in aangeschoten rare-brillendragende intellectualo's. In plaats daarvan lieten Kramer en ik ons door de eilandbus afzetten bij een kampeerboerderij. 'Er is daar niemand hoor,' riep de chauffeur ons na. Ik: 'Dat is precies de bedoeling!'

Op een bord prees de boerderij zichzelf een beetje zielig aan als 'de meest noordelijke kampeerplaats van Nederland'. Inderdaad was er niemand, behalve een beheerder. Deze man vond het niet vreemd dat we medio februari wilden logeren, als we maar onze elf gulden per persoon per nacht betaalden. Hij bracht ons naar de stallen en zei dat we een bedje konden uitzoeken. Dat was nog een heel gedoe, want er stonden zestig stapelbedden die we allemaal mochten gebruiken. Ik wilde eerst dat we zo'n vijftig bedden van elkaar vandaan zouden liggen, maar al vlug stond ik het Kramer toe dat hij zijn spullen zette bij het stapelbed naast het mijne. Toen de beheerder was verdwenen, inspecteerde ik de andere vertrekken. Juichend schreeuwde ik vanuit de keukenstal dat we zes enorme koelkasten tot onze beschikking hadden, tien vuilnisbakken en twintig kloeke tafels. Het is toch op zijn minst opmerkelijk dat twee volwassen afgestudeerde biologen zich vrolijk kunnen maken over achttien kookpitjes die ze met z'n tweeën mogen delen ('jij die en ik deze negen!').

Later die middag huurden we fietsen en meldde ik me bij de keet waar het seismologisch gasonderzoek werd geleid, in de buurt van strandtent 'De Grilk' (door ons omgedoopt in 'De Frituurk'). Ik weet niet wat er allemaal van mij verwacht werd, maar niet dat ik werkeloos mocht toekijken hoe een driftig opzichtertje belde met Ons Hoofdkantoor in Utrecht waarom de noodzakelijke meetapparatuur nog niet was gearriveerd. Na een half uur belde ik zelf met mijn eigen zakbanaantje de afdeling Logistiek, want het was duidelijk dat er Major Mistakes waren gemaakt. Dáár krijg ik dus acute vagina-angina van, als je naar een koleire eiland bent gekomen en blijkt dat dat helemaal voor niets is geweest. Ik werd doorverbonden met mijn baas, die droog zei dat ik bij ontstentenis van de spullen maar beter kon terugkomen. Ik antwoordde dat hij gerust mijn stijve kut over zijn natte pik kon wringen. 'Ik heb deze reis niet voor niets gemaakt en blijf hier gewoon een paar daagjes logeren, wat denk je wel?' schreeuwde ik in mijn handtoestel, omdat ik weet dat mijn baas mij niets kan weigeren. Kramer stond er maar een beetje lullig bij toen ik de keet uitstapte en vertelde dat ik een paar daagjes vrij had genomen. Naar de fietsen lopend riep ik: 'Gewoon een korte vakantie! Even de dynamo uitwaaien!'

En zo geschiedde het op de vijftiende februari van het jaar 1994, dat Kramer en ik het verlaten strand van Schiermonnikoog honderden meters opliepen en derhalve op dat moment de meest noordelijke staatsburgers op het grondgebied van het Koninkrijk der Nederlanden waren. Dat was een mooi moment, iets om op te tekenen in de Vaderlandse Annalen, vind ik. Om het te vieren omhelsden Kramer en ik elkaar. De meest noordelijke omhelzing van Nederland. Kramer en ik omhelzen elkaar wel vaker, dat moet kunnen als je goede vrienden bent. Meestal treiter ik hem dan door hem iets liefdevoller aan te halen dan ik een tante zou doen.

Terwijl de zeewind in onze oren suisde, kuste ik Kramer zachtjes in zijn nek, vlak boven zijn shawl, maar hij zag een heel grote dode kwal liggen, vlak bij de plek waar we stonden, en toen hij mij erop wees was het mooie moment natuurlijk mooi naar de klote, want wie wijst er nu op een kwal als je net intiem bijna staat te zoenen? Over elke levenloze kwal die we vervolgens zagen, ging ik wijdbeens staan, waarna ik afrukbewegingen maakte en deed alsof ik net was klaargekomen. Kramer moest er om lachen, heel kinderachtig eigenlijk.

Nadat we in twee uur tijd acht keer rond het eiland waren gefietst, konden we concluderen dat we deze troosteloze dinsdag de enige niet-eilanders op het eiland waren, samen met een dertigtal Duitsers en enkele quasi-permanent verblijvende gaszoekers. Bij de supermarkt kochten we een keur aan zoutjes en chocola, en toen we later op een bankje in de duinen zaten te genieten van de middagschemering vroeg ik mij hardop af hoe we in godsnaam deze dagen gingen doorkomen. Kramer keek mij mysterieus glimlachend aan en haalde een klein doosje uit zijn zak.

'Licence to pill,' zei hij, zogenaamd heel koel maar met een zweem van spanning in zijn stem. Toch was het het juiste idee op het juiste moment. Met een vreugdekogeltje achter je kiezen ziet de wereld er een behoorlijk stuk beter uit. Niet dat we ons plotseling genoopt voelden te reppen van Schierhattan, maar Kramer en ik zagen in dat het eiland – hoewel het er naar stront en dode vis rook – toch eigenlijk heel mondain was. Tot overmaat van plezier vonden we in de madurodorpskom maar liefst drie hele cafés. Nu ben ik een redelijke bulimia-patiënt als het om alcohol gaat. Vaak neem ik me voor om nooit meer of althans heel weinig te drinken, om mezelf toch weer kotsend in een goot of op een toilet terug te vinden *talking to God with the Big Phone* (als je begrijpt wat ik bedoel).

'We nemen er ééntje, écht ééntje!' besloten we heel plechtig, bij de voorpoort van de hel, de Tox-bar. Dat hadden we misschien niet moeten doen. Zoals een Afro-Amerikaan zich moet voelen als hij argeloos een congres van de Ku Klux Klan binnenwandelt, zo verging het ons tussen de eilandbewoners in de Tox-bar. We wilden één biertje de man bestellen, maar kleingeld was in deze kroeg blijkbaar zo'n bijzonderheid dat je alleen kon betalen met plastic munten uit een automaat. Natuurlijk ging dat per vijf of dertien stuks, waardoor we ons moeilijk aan ons voornemen van ieder één aperitiefje konden houden. Wij namen plaats aan de bar, terwijl de hele kroeg ons in de gaten hield. Eerst praatten Kramer en ik een paar muntjes lang over het eiland en hoe dom het was dat mijn meetmachines niet waren verscheept. Toen zagen we naast het muntenapparaat een Loesje-poster hangen, met de raartalige mededeling: 'Nea Gurbe, earst in condoom der omhinne!' Kramer, die al een beetje geraakt was door zijn kogeltje, riep: 'Allemachtig, wat is dat voor spreuk?'

Het is altijd erg leuk om met een jongen als Kramer over seks te praten. Ik probeer dan zo gedetailleerd mogelijk al mijn vunzigheden en aberraties te beschrijven en echt duidelijk te maken hoe enorm veel plezier ik aan seks beleef. Hoe krampachtiger Kramer vervolgens tracht 'een goede vriend' te zijn en geïnteresseerd te luisteren, hoe vaker ik hem bijna wanhopig zie denken: waarom doet ze al deze dingen verdomme niet met mij?

Nu houden wij biologen ervan om in het openbaar met ingewikkelde termen de meest gore onderwerpen te behandelen, geloof ik. Eerst gingen Kramer en ik in op de vraag of een condoom het seksuele plezier in een bepaalde mate teniet doet, waarna we probeerden te achterhalen wat neuro-biologisch gezien de oorzaak van genot zou kunnen zijn en of zich dat door een rubber vliesje zou laten uitschakelen. Volgens Kramer was het allemaal een kwestie van het vrijkomen van oxytocine bij de ejaculatie, geregeld door het endorfinesysteem. In zijn optiek ging de orgastische stuwing van het mannelijke deel van de cytoplastische genen gepaard met een oxytocine-trip in de hersenen, niet meer en niet minder. Een orgasme was volgens hem gewoon een acuut werkend pilletje in je hoofd. Brits onderzoek, beweerde hij, had uitgewezen dat oxytocine's antagonist naloxon de gevoelens bij een hoogtepunt sterk temperde. Kramer scoorde hier een interessant punt, maar ik bracht er tegenin dat we nog steeds niet zeker weten of naloxon niet gewoon andere genotscentra in de hersenen afsluit en dat het effect van het uitblijven van een orgasme geen gebrek aan oxytocine hoeft te zijn, maar misschien net zo goed een bijwerking van naloxon.

Gebruik in een café de woorden naloxon, oxytocine, endorfine en antagonist, en iedereen zit je verbijsterd aan te gapen, dat bleek ook op Schiermonnikoog helaas eens te meer.

'Bovendien,' ging ik onverstoorbaar verder, 'is de comprimatie van "genot" in "orgasme" wel een erg pathetische kijk op de mogelijkheden van de liefde, meneer Seksueelonbenul Kramer. Dat is net zo'n domme, mannelijke gedachte als de steeds maar terugkerende misvatting dat seks uitsluitend seks is als er intromissie plaatsvindt. Natuurlijk heeft de evolutie geen boodschap aan onanie, fellatio, sodomie of andere vormen van vermorsing, natuurlijk is intromissie bij de voortplanting het enige dat telt en is al het andere biologisch gezien een belachelijke deconfiture, maar ik had van jou als westerse erotisch-correcte intellectueel een genuanceerder, vrouwvriendelijker standpunt verwacht. Dat stelt me redelijk teleur. Ik ben niet boos, ik ben een beetje verdrietig. Een vrouw heeft heus iets meer aan haar lichaam dan louter een opengesperde introïtus vaginae.'

Hierop ging Kramer mij bevlogen en aandoenlijk van repliek dienen en aantonen dat hij het verschil tussen 'genot' en 'een orgasme' wel degelijk wist, en dat hij echt niet vond dat er altijd maar geneukt diende te worden.

'Nou, ik zeg niet dat er niet geneukt hoeft te worden als ik met een jongen in bed lig,' zei ik verbaasd, 'dat zeg ik helemaal niet. Integendeel. Ik vind neuken heerlijk, echt héérlijk. Jezus, ik hou verschrikkelijk veel van neuken. Echt waar, Kramer. Ik hou echt gigantisch van neuken, weet je dat?'

Kramer knikte flauwtjes. Hij wist op dit moment ook niet meer wat hij moest antwoorden. Even was ik strategisch stil en deed ik of ik nadacht.

'Ik vind neuken zó lekker,' zei ik gnokkend (wat zoiets betekent als 'met je ogen bedelend'). Nu weten mensen die nog nooit van een 'introïtus vaginae' gehoord hebben, meestal donders goed wat het woord 'neuken' betekent. Toch zaten de eilandbewoners in de Tox-bar me niet in adoratie aan te gapen, moet ik bekennen. Als in Turkije de onderbenen van vrouwen met scheermesjes worden bewerkt omdat de rokken van die vrouwen tot aan hun knieën hangen, is het niet raar dat op Schiermonnikoog een meisje dat hardop roept dat ze zó van neuken houdt, lichtelijk ongemakkelijk, ja zelfs kwaadaardig wordt aangestaard.

Hoewel we nog drie muntjes hadden, zei ik tegen Kramer dat we naar het volgende café gingen. Kramer volgde me gedwee naar 'Het Oude Buuthuus', een stukje verderop. Dat is een bruin café, maar de enigen die we er zagen waren de eilandzwerver en een meisje dat een glas sinas zat te drinken alsof ze het sperma van haar verkrachter moest doorslikken. Ik bedoel te zeggen dat het ook in het Oude Buuthuus niet gezellig was. Tot overmaat van feestelijkheid waren we nog niet binnen, of het peloton bivakkerende Duitsers kwam zich het café toeëigenen, wat sowieso überhaupt rücksichtslos unheimliche gevoelens opriep.

We besloten te vertrekken en te souperen bij het roemruchte hotel Van der Werff, op een paar meter afstand. We bleken niet de enige gasten te zijn, want er verbleven toch nog enkele Amsterdamse kunstsubsidie-types in het hotel. Op de menukaart stond een tournedos met een saus van vijfentwintig kruiden. Uit pure beroepsdeformatie vroeg Kramer de ober welke.

'Ehm, peper, zout, en nog drieëntwintig andere,' antwoordde de man behulpzaam. De sfeer kon hierna niet meer stuk. En meestal als de sfeer niet meer stuk kan, speel ik mijn favoriete spelletje: zoals inspecteur Clouseau op de meest onverwachte momenten door Cato wordt besprongen, probeer ik Kramer in het openbaar met een totaal abrupte opmerking verbaal volledig klem te zetten. Op een afgeladen terras roep ik bijvoorbeeld plotseling heel geërgerd: 'Maar hoe bedoel je, Kramer, dat je verdomme niet klaarkwam vannacht?' waarop Kramer uiteraard met z'n mond vol tanden zit. En in een druk restaurant is het leuk te vragen: 'Dus je mag van je psychiater al weer uit eten, terwijl je de vorige keer in een restaurant acht mensen met je bestek hebt verwond?'

In de eetzaal van Van der Werff bedacht ik een nieuwe klemzetter. De ober had net onze tournedossen gebracht (met een beetje een flauw sausje, als je het mij vraagt), en duidelijk hoorbaar voor de Gerardjan Rijndersen en Loes Luca's naast ons, vroeg ik: 'Vindt je reclasserings-ambtenaar het wel goed dat je hier zit?'

Ik had er niet op gerekend dat Kramer deze vraag zou beantwoorden, maar blijkbaar had hij een goede afpil, want onmiddellijk riposteerde hij: 'Ja hoor, porno-fotografie is al lang geen misdrijf meer, dus de rechtbank vindt het vast niet erg dat ik jou hier in de duinen portretteer.'

Die Kramer. Natuurlijk nam ik zijn handschoen op en zonder blikken of blozen zei ik weer dat we deze fotosessie een beetje moesten oppassen dat de kou niet op mijn kut sloeg, omdat ik geen blaasontsteking wilde krijgen van dat geile gerij tegen die strandpalen. Een paar tafels om ons heen moeten hebben gehoord wat ik zei. Kramer speelde het wedstrijdje meteen mee door op te merken dat we morgen niet moesten vergeten de grote negerdildo mee te nemen naar het strand. Zoveel assertiviteit had ik niet verwacht. Ik diende Kramer grof van repliek, maar hij reageerde wederom al even bot en bruusk. Dit ging een tijdje door. Langzamerhand ontstond er een heel raar toneelspel. Ogenschijnlijk voerden we een fictionele, erg platte dialoog tussen een porno-model en haar fotograaf, maar ondertussen leek het of Kramer in deze rol mij eindelijk alle dingen durfde te vragen die hij altijd had willen weten ('Je hebt toch wel eens een anaalvibrator gebruikt, mag ik hopen? Dan nemen we die morgen ook mee'). Op mijn beurt probeerde ik flinke Kramer nog gekker te maken dan ik vooraf van plan was.

'Vind je mijn borsten groot genoeg?' vroeg ik, hen met mijn gekomde handen duidelijk zichtbaar omhoog duwend. Kramer zei dat hij mijn borsten prima vond.

'Dus je vindt ze wel lekker?'

'Ik mag ze wel. Het zijn goede borsten, fototechnisch. Ik mag er graag naar kijken.'

'Als je mij fotografeert, voel je daar dan wat bij? Ik kan me namelijk voorstellen dat als ik zo naakt voor je sta, dat er dan toch wat met je gebeurt.'

'Ik probeer mijn gevoel uit te schakelen. Dat is m'n vak.'

'Ben je al eens naar bed geweest met een van je modellen?'

'Nee, dat niet. Maar ik moet eerlijk zeggen dat ik het ook nooit geprobeerd heb.'

'O, waarom niet?'

'Omdat dat onze werksituatie zou kunnen schaden.'

In deze fase van onze dialoog kreeg ik de indruk dat Kramer met 'onze werksituatie' eigenlijk 'onze vriendschap' bedoelde.

'Maar als ik nu naakt voor je lig,' ging ik verder om de spanning nog wat op te voeren, 'zoals vanmiddag op dat bankje in de duinen, en ik lig met m'n benen wijd, en ik kijk je heel uitdagend aan, en ik trek met beide handen mijn schaamlippen een beetje van elkaar, en ik leg mijn middelvinger op mijn kittelaar, en ik kreun omdat ik weet dat jij naar me kijkt. Windt dat je dan écht niet op? Ik bedoel: zou je me dan niet gewoon eens willen pakken? Dat is de vraag: zou jij mij niet gewoon een keer bruut willen nemen?'

'In zo'n situatie niet,' zei Kramer. 'Te riskant. Dan zet ik dingen op het spel die ik niet op het spel kan zetten. Maar als je dat bijvoorbeeld vannacht zou doen, wat je net zei, dan zou ik daar misschien geil van worden.'

'O, dus vannacht wel? Vannacht zou je me pakken?'

'Wie weet.'

Even zwegen we.

'Vannacht? Echt?'

'Misschien.'

Dat 'misschien' zei mijn fotograafje heel stoer. Ik knikte en gooide met mijn handen mijn haar los. Hier werd hoog spel gespeeld. Lange tijd zeiden we niets meer. Ik had gevraagd of hij me wilde pakken en hij had gezegd 'misschien', wat neerkomt op: ja, heel graag. Ik gaf hem mijn speciale 'kom maar op als je durft'-blik, en Kramer keek al net zo uitdagend terug. Oké, hij kon het krijgen, als hij het zo graag wilde.

'Luister Kramer, lieve jongen,' zei ik rustig, '*nice guys don't get laid.*'

Kramer slikte. En met deze zin kreeg ik hem toch eindelijk op z'n knieën. Hij had een rode kop en wist niet meer wat hij moest antwoorden. Ons toneelspel was meteen afgelopen. Ja, hoor eens, wie kaatst kan de bal verwachten.

Onderweg naar de meest noordelijke kampeerplaats van Nederland zeiden we niet veel meer. Kramer was niet nukkig, maar hij straalde evenmin. We bleken nog steeds de enige bewoners van de boerderij. In de eetstal stelde ik voor om een partij te schaken (zodat Kramer mij kon verslaan en een stuk vrolijker zou worden) (als er namelijk iets jongens doet opklaren, is het winst bij een spelletje) (leer me ze kennen, de zieligerds). Kramer wilde niet schaken, hij ging liever slapen. We besloten om vroeg op te staan en een strandwandeling te maken. In de grote slaapstal deden we beiden ons toiletding, Kramer was eerder klaar dan ik en kroop alvast in zijn slaapzak. Gekleed in slip en T-shirtje ging ik op de rand van zijn bed zitten. Ik zette een bezorgd gezicht op.

'Wat is er toch, Kramer?'

Kramer haalde zijn schouders op en schudde langzaam zijn hoofd. Ik bibberde en kroop in elkaar.

'Is er niets?' vroeg ik lief.

'Nee,' zei hij kortaf.

'Mag ik even bij je komen liggen? Ik heb het zo koud.'

Kramer hield zijn adem in.

'Ja, daar ben ik goed voor, hè?' beet hij me toe.

'Hoe bedoel je, Kramer?'

'Ik bedoel dat je nu weer bij mij in bed wil komen liggen, en dat je me dan ongetwijfeld weer gaat zitten opgeilen en uitlokken, en dat je het natuurlijk weer een fantastisch tijdverdrijf vindt te kijken hoever je daarbij kunt gaan, en het enige dat je van plan bent, is mij gek te maken en een vuig spelletje met me te spelen. Jij vindt mij een makkelijk slachtoffer, omdat je weet dat ik toch niet het lef heb jou te misbruiken. Dat bedoel ik.'

Ik knikte, maar hield verder mijn gezicht strak, hoewel ik liever in schaterlachen was uitgebarsten.

'En ik bedoel ook,' ging Kramer na een paar seconden verder, 'dat het in de omgang die wij "vriendschap" noemen hoofdzakelijk van mijn kant komt. Ik denk dat ik om jou geef, om wie je bent en zo, maar ik vraag me af of jij ook zo over mij denkt. Ik bedoel dat als je het koud hebt, of in een weekend half verkracht bent door groepen domme kroegproleten, *ik* er ben om je op te warmen of te troosten. Daarentegen zie *jij* mij alleen als toyboy, spelejongetje, ego-opkrikker en wandelende zelfbevestigingsmachine.'

Misschien dat Kramer dacht dat hij mij kwaad of op de kast kon krijgen, maar hij vergiste zich.

'Kramer,' zei ik zacht, 'het is niet zo dat ik niet om je geef. Ik voel juist heel veel voor jou. Ik vind je alleen zo dom. Jij bent echt heel dom, zoals er miljoenen domme mensen zijn.'

Zonder Kramer om toestemming te vragen ritste ik rustig zijn slaapzak open. Hij verbood het me niet.

'Ik weet gewoon dat jij mij leuk vindt,' fluisterde ik, 'niet zo maar vriendschapsleuk, maar écht leuk, verliefdleuk, seksleuk. Je doet of wij zulke goede praatkameraden zijn, maar diep in je hart ben je gewoon ontzettend geil op me. Wanneer ik bij je ben, wil je eigenlijk maar één ding: met me naar bed. Je bent een leugenaar als je dat ontkent.'

Ondertussen was ik in zijn slaapzak gekropen. Kramer zei niets en lag met zijn ogen dicht te luisteren. Ik drukte mijn lichaam voorzichtig tegen het zijne.

'Ik vind je dom omdat je jezelf zo in de maling neemt. Je moet het *mij* niet kwalijk nemen dat *jij* niet durft toe te schieten als ik je zit uit te dagen. *Poor is the man whose pleasures depend on the permission of another.*

Dat ik jou uitdaag en pest, is mijn spelletje, maar dat jij te laf bent te doen wat je in feite zou willen, is niet mijn schuld.'

Ik legde mijn arm op zijn zij. Kramer reageerde niet. Hoe ver zou ik kunnen gaan, vroeg ik me af. Kon ik uit de slaapzak stappen, met mijn benen gespreid voor hem gaan liggen, mijn handen richten op mijn kruis en zou hij dan nog niet durven toehappen?

'Als je naar mij verlangt, ga je dat toch niet onderdrukken voor zoiets vaags als "vriendschap"? Je bent bang, Kramer. Je bent bang dat ik je uitkaffer en je op je nummer zet. Je bent bang voor een blauwtje, dat is het. Jouw angsthazerige ikje is bang dat ik zeg: ja hallo, gaat pleite. Kijk, ik zeg niet dat je geen blauwtje zult lopen als je me probeert te verleiden, die kans is best groot, maar dan heb je het in ieder geval geprobeerd. Niet gestoken is altijd mis.'

Kramer opende zijn ogen en keek me strak aan. Even strak keek ik terug. Ik geloof werkelijk niet dat ik hem erger had kunnen tarten. Dit overtrof mijn stoutste dromen. Heel voorzichtig drukte ik mijn lichaam nog iets dichter tegen het zijne.

Toen wurmde Kramer zich los uit mijn greep.

Boos keek hij me aan en (eindelijk eindelijk) deed hij wat. Hij sloeg zijn slaapzak open en stapte uit bed. Zonder iets te zeggen begon hij in zijn rugtas te rommelen. Wat hij te voorschijn haalde, verbaasde mij net zo goed als het hem moet hebben gedaan.

'Ik weet dat het koud is,' zei hij afgemeten, 'maar je bent een professional, dus daar moet je maar tegen kunnen.'

'Laat maar eens zien wat je waard bent,' ging hij getergd verder, en met een handgebaar gebood hij me een pose aan te nemen. Hierna bracht hij zijn fototoestel voor zijn gezicht. Ik wist niet eens dat hij dat bij zich had!

Eerst reageerde ik verbaasd, maar toen het tot me doordrong, kon ik van trots mijn lachen niet meer houden. Wat een succes. Eindelijk kwam er eens pit in Kramer Goedbloed. Eindelijk stelde Kramer een daad. Ik had hem zowaar hoorndol gemaakt.

Uiteraard heb ik mijn kleren voor hem uitgetrokken. Aanvankelijk draaide ik mijn naakte lichaam alleen een beetje naar hem toe, maar Kramer zei kortaf: 'Dat kan veel geiler.' Dit klopte. Kramer ging op zijn hurken zitten op een meter afstand van mijn kruis. Ik besloot niet langer te dralen en hem waar te geven voor zijn leed. Met geveinsde tegenzin (en overgave) begon ik iedere wellustige houding aan te nemen die hij van mij verlangde. Mijn slachtoffer had zijn ketenen afgegooid en liet me kronkelen, wentelen, wiegen in alle standen die hij kon bedenken. Ik heb mijn lichaam moeten vlijen langs de spijlen van zijn stapelbed, ik heb gekroeld met zijn slaapzak, ik heb mijn benen voor hem gespreid tot ik spierpijn kreeg in mijn introïtus vaginae; ik heb temend naar hem opgekeken, smachtend, gnokkend; en toen Kramer zijn fotorolletjes helemaal had volgeschoten, heeft hij het aangedurfd zijn model naar zich toe te trekken en haar genadeloos te nemen. Alsof hij alle schade en schande van de afgelopen jaren wilde inhalen en goedmaken, heeft hij mij zonder mijn toestemming op zijn stapelbed verslonden, en daarna op het stapelbed ernaast, en daarna heeft hij me naar de resterende achtenvijftig gammele constructies gesleurd om me op elk van de honderdzestien matrassen afzonderlijk in de ene erotisch-incorrecte houding na de andere te misbruiken tot de oxytocine zo ongeveer uit zijn oren spoot, de klootzak.

Heblust

Voor M.

Jömig! Het is nog niet eerder zo tot me doorgedrongen. Natuurlijk heb ik het altijd al geweten maar het lijkt alsof ik het nooit werkelijk heb beseft, alsof er plotseling allerlei sluiers zijn weggetrokken. Verbaasd stel ik vast *dat ik een kut heb*.

Ik lig in de loeihete zon en de wind waait zacht over mijn naakte lichaam. Het is raar: ik denk aan mijn vagina zoals ik nog nooit aan mijn vagina heb gedacht. Dit is geen spirituele ervaring, noch heb ik geestverruimende middelen geslikt; simpelweg kom ik tot een dieper inzicht, een hoger weten. Dat ding tussen mijn benen, hé, dat is een kut, dat is míjn kut. In eenentwintig jaar heb ik nooit *bewust* aan mijn vagina gedacht, raar niet?

Mijn ogen heb ik dicht. Hier op mijn dakplateautje kan bijna niemand me zien. Alleen vanuit de kantoorflats aan de overkant kunnen ze me begluren, maar dat vind ik niet erg. Het is benauwd, ik voel de zon op mijn lichaam, ik hoor de geluiden van de stad, en ik denk aan mijn kut dus. Ik *voel* haar zelfs nu. Zonder het met mijn vingers te controleren merk ik dat zij vochtig wordt. Aarzelend kietel ik met mijn pink de haartjes op het stekelige stukje huid tussen vagina en been. Ik heb zin om m'n vingers in m'n schaamhaar te laten verdwijnen, maar ik doe het niet.

Na een tijdje open ik mijn ogen en zet ik de zonnestoel in de zitstand. Als ik aan de overkant niemand voor de ramen zie staan, buig ik me rustig naar voren om naar m'n schaamstreek te kijken. Toen ik vijftien was heeft een toenmalig vriendje met een tondeuse al mijn schaamhaar eraf geschoren, op zijn initialen na (zoals je ook wel eens letters in iemands uitgeschoren nek ziet staan: de onschuldigste vorm van tatoeage). De jongen was er lang mee bezig omdat de geniepig krullende schaamhaartjes zich moeilijk lieten bewerken. Hoewel mijn schaamhaar alweer helemaal is aangegroeid, controleer ik soms of er nog iets van de letters doorschijnt. Niet dus. Nooit blijft iets zoals het was: dat is volgens mij ook waarom iedereen altijd maar zo triest en gedeprimeerd is.

Voorzichtig en ietwat schichtig trek ik mijn kut een beetje open (de geluiden van de stad hoor ik plotseling veel beter). Het ding dat ik nu opengespreid houd is mijn vagina, aangenaam. Ik probeer me voor te stellen hoe zij er van binnen uitziet, te bedenken hoe veel vingers, medische hulpstukken, voorwerpen, tongpuntjes en mannelijke geslachtsdelen erin zijn verdwenen. Het aantal vingers en tongen kan ik niet meer achterhalen, de hoeveelheid lullen weet ik nog wel. Ik ben namelijk zo iemand die dat bijhoudt.

Noem het *heblust*. Even iets persoonlijks: tijdenlang heb ik de neurose gehad dat ik me van iedere jongen afvroeg: hoe ziet zijn (stijve) pik eruit? Eigenlijk denk ik dat nog steeds wel vaak, daar schaam ik me dus niet voor. Ik herinner me een uitbundig feest waar een excentrieke tante (in een familie als de mijne wordt welbeschouwd alleen maar uitbundig gefeest en komen alleen maar excentrieke tantes voor) nogal dronken begon te roepen dat ze 'kilometers lul versleten had'. Van het gezelschap reageerden alleen de buren geschokt. Omdat ik zelf toen nog slechts op hooguit een halve meter kwam, vond ik de uitspraak van mijn tante in hoge mate opwindend. Kilometers lul. Jömig.

Ik heb wat met lullen, daar wil ik niet over liegen. Lullen en ik, we kunnen het wel met elkaar vinden ja. Een penis vind ik qua schoonheid en ook nog qua een heleboel andere dingen toch interessanter dan een vulva, excusez mon opinion. Een pik te zien groeien van een verschrompeld, nogal zielig rozebruin pepertje in een stevige blakende rettich is misschien wel het ontroerendste dat er is, en een lul hard te voelen worden in je mond is helemáál overweldigend, laten we de dingen vooral bij hun naam noemen. Omdat ik in een dolle openhartige bui een geërecteerd geslachtsdeel eens 'de zin van het leven' heb genoemd (toch een prestatie dat ik daar op mijn nog maar zo jonge leeftijd al achter ben), vinden mijn vriendinnen me 'lulgericht', hoewel ze onmiddellijk toegeven dat ze dat zelf ook zijn. Wij zijn van die meisjes die naar bobbels in zwembroeken kijken, naar jongens die onbewust door de gaten in hun broekzakken aan hun geslachtsdelen frunniken, naar links- of rechtszittende verdikkingen in strakke 501's. Het zijn toch ook heerlijke verrassingskroketten? Hoe onbenullig een jongen er ook uitziet, hoe slungelig een gozer zich ook gedraagt: aan zijn gedrag of zijn uiterlijk kun je zijn pik niet zien. Iedere jongen kan in principe een wereldlul hebben, dat moet een troost zijn, dunkt me. Grote lullen met geprononceerde spieren, spitse vlijmscherpe pikhouwelen, dikke gezellige rakkers, eikels in alle vormen en maten, gigantische peerachtige eikels die zo groot zijn dat je ze niet met één hand kunt omvatten, roze, rode, paarse, lila, blauwe, turkwase, bordeauxrode en gemarmerde eikels, lullen met knikken in alle windrichtingen, penissen met vetbobbels, pielen met een naad als een ritssluiting, kleine pikjes zonder haar, bloedlullen, staven met wondjes, palen met puisten bij de haarinplant, lullen die maar niet stijf willen worden, lullen die maar niet slap willen worden, tampen met vlekken, tampen met schilfers, tampen die kunnen buigen, botte pikken, stramme strakke stroeve pikken, stinkende pikken, zielige pikken, besneden pikken, gekleurde pikken, ferme pikken, pikken met een verhaal, pikken met een gebruiksaanwijzing: ik wil ze allemaal leren kennen, ik moet ze allemaal hebben, hoewel ik ze heus niet allemaal wil bezitten, of tenminste niet meer, of niet allemaal eigenlijk, maar wel heel veel moet ik toegeven, ik bedoel: laat maar.

Het is waarschijnlijk mijn romantische verlangen naar alle dingen die ik zou kunnen missen, terwijl ik tevens weet dat er eigenlijk niets is om te missen. Als in het café het zoveelste veelbelovende stropdasjongetje vindt dat hij een gesprek met me voert, winnen mijn nieuwsgierigheid en mijn angst dat er iets aan mij voorbij zal gaan het uiteindelijk toch vaak van mijn desinteresse in dat mannetje. Hup maar weer, denk ik dan, de duivel schijt toch altijd op de grootste hoop.

Veel meisjes die ik ken vrezen dat jongens hen na één éénnachtsestand achterbaks zullen beschimpen en beroddelen, en dat ze tegen hun vrienden zullen opscheppen over hoe 'makkelijk' de meisjes waren, ofwel hoe 'geil als boter'. Veel jongens doen dat soort dingen waarschijnlijk inderdaad, maar toch begrijp ik de angst van die meisjes niet. Zij zeggen het namelijk rot te vinden dat rondbazuinende jongens op die manier de mooie momenten, de intieme geluidjes en de tederheden tijdens het vrijen postuum kapotmaken, maar volgens mij vinden ze het eerder vervelend dat andere jongens voor eeuwig zullen denken dat ze sletten zijn. Niemand wil een slet zijn, toch? De wereld houdt niet van veelvrijerij, omdat dat niets te maken heeft met de door iedereen zo gekoesterde Echte Monogame Liefde. Welnu: Fuck de Echte Monogame Liefde! Mij interesseert het niet als ze achter mijn rug roepen dat ik een gratekut ben. Wie daarop neerkijkt, wil zelf zo zijn – dat is mijn mening.

Toch enigszins schichtig om me heen spiedend hou ik met mijn vingers mijn vagina opengespreid. Ik ben werkelijk onbeschaamd! Hartje zomer, midden op de dag, pal in het centrum van de stad zit ik met m'n benen wijd naar mijn kruis te staren. Niet dat dat me opwindt, maar wel dat ik er geil van word.

De kleur van de huid tussen de grote en de kleine schaamlippen is in korte tijd veranderd van doorbakken-biefstukbruin tot rosbiefrood. Mensen vergelijken een vrouwelijk geslachtsdeel altijd met een roos of een andere bloem, of met iets liefelijks, maar ik vind dat onbegrijpelijk. Een rare open wond die gestopt is met bloeden, zo ziet het eruit. Klinkt raar uit de mond van een meisje, hè? Een bij elkaar geharkt driehoekje rauwe shoarma, zo noem ik het. Overweldigend, natuurlijk, en puur en geil en lekker, maar mooi? Nou nee. Ik las eens over een onderzoek dat gehouden was onder de mannelijke eerstejaarsstudenten Medicijnen van de

Universiteit van het Finse Fjødrhabr, of iets dergelijks. De jongens kregen een aantal gekoppelde plaatjes te zien van a) een vagina en b) een etterende wond, waarna ze moesten aangeven welke afbeelding wat was. Mooi dat een significant groot deel van de jongens het verschil tussen een vulva en een trauma niet kon zien! (Nu begrijp ik ook beter waarom die Scandinavische meisjes op vakantie altijd zo de beest uithangen) (en laat als vrouw op doortocht in Finland nooit een snee in je bovenarm behandelen, want dan kunnen er de vreselijkste dingen gebeuren.)

Aan de overkant nog almaar geen bekijks, terwijl met een beetje telescoop nu toch zelfs mijn kittelaar te zien moet zijn (die prettig gezwollen is en al vervaarlijk begint te trillen als de zachte bries op het terras er tegenaan blaast). Even krijg ik een halve hartverzakking als ik denk Jérômè weer te horen thuiskomen, terwijl ik weet dat dat nog lang niet kan.

Jérômè is de jongen met wie ik mijn appartement deel, een onvervalste homoseksjuweel, wat jammer is, want hij is heel knap en lekker en aantrekkelijk en jammer genoeg absoluut niet geïnteresseerd in de potentiële fysieke kanten van onze vriendschap. Ik hou vreselijk veel van Jérômè, en hij van mij. Omdat we zo vreselijk veel van elkaar houden c.q. er nooit iets vleselijks zal gebeuren, zitten we elkaar de godganse dag alleen maar op te geilen met gore praatjes over wandelende bananen en andere mannen.

Ik ben zo iemand die een grote afschuw heeft van vuilbekkerij, ik zal het maar eerlijk bekennen, maar met Jérômè erbij kan het mij niet gevuilbekt genoeg. Soms vallen Jérômè en ik letterlijk in elkaars armen in slaap, nadat we elkaar de hele avond hebben suf geluld over seks. Zo houdt Jérômè bijvoorbeeld niet van knikpikken, ofwel geslachtsdelen die krom geschapen zijn. Hij ziet graag dat een knikpik gecompenseerd wordt door een strakke jongenskont met harde billen. Ik vind dat onzin! Alsof iemand met een kromme pik invalide is! Integendeel zelfs! Zit het gevoelige plekje van de prostaatklier per definitie aarsrecht achterin de anus? Nee, ik dacht het toch niet, meneer Jérômè. Net zomin als in de G-plek. Natuurlijk, je zult G-plekken hebben die precies in het verlengde van de kutbuis liggen, maar zoiets lijkt me eerder uitzondering dan regel. Het is niet voor niets dat iemand als Eddy Murphy (die de beroemdste knikpik ter wereld heeft) befaamd is om zijn uitzonderlijke gave zelfs de verst afgelegen G-plek te bereiken en te stimuleren, *dankzij* zijn zo bijzonder geschapen penis. Nog afgezien van het voordeel dat een kromgeschapen lul heeft in het mechaniek der seksuele handelingen, staat de ontroering die hij bij meisjes teweegbrengt buiten kijf. Ik heb meegemaakt dat ik voor het eerst het hard geworden geslacht aanschouwde van eigenlijk een behoorlijke prutlip van een gozer, waarna ik verrukt en plotseling helemaal verliefd uitriep: 'Jee, Dylan, wat een lieverdje!' Ik noem dit 'het mongooltjes-effect'. Perfect, dat is namelijk niet leuk, dat is saai, dat is voor fascisten. Klein gebrek geen bezwaar, zo is het. Een teddybeer met een kapot oogje is per slot van rekening veel aandoenlijker dan een ongehavend exemplaar. Ik heb een van mijn vriendjes zelfs ooit eens toevertrouwd: 'Weet je, Ernie, ik *hou* echt van je lul. Hij is zo lief, en ik word zo vreselijk geil van hem. Als ik moest kiezen tussen jou en je lul, zou ik kiezen voor je lul.' Dat is ware liefde, meneer Jérômè, dan heb je geen strak jongenskontje meer nodig.

Nu is Jérômè, naast het feit dat hij totaal oversekst is, ook nog eens een fatsoenlijke cultuur-intellectueel, wat betekent dat hij geen telepiemeltje heeft omdat zoiets zo stoort bij het lezen en nadenken. Toch voelt hij zich altijd enorm beledigd als ik hem een seconde laat missen van een hete seksscène op mijn kleine kleurenkutje, want dan is mijn apparaatje plotseling weer wel goed genoeg. Niet dat er vaak behoorlijk geneukt wordt op tv. Alleen als het weer eens pornotijd is op Filmnet betekent dat feest in Huize Ons Appartement. Dan zendt het mozaïekschermpje van ons kabelnet namelijk om de veertig seconden een ongestoord blokje seksfilm uit, afgewisseld door een blokje Eurosport. Het klinkt vreemd maar ik heb nog nooit een pornofilm op piemelgrootte gezien. Video's komen in mijn vriendinnenkring niet bijster veel voor, en iemand die wel zo'n machine heeft en voor de gezelligheid even een geil *cumshot* opzet, ben ik nog niet tegengekomen. En dus zitten Jérômè en ik ons geregeld voorovergebogen en uitgelaten te verlustigen aan het Madurodamgeneuk op Filmnet. Van lesbisch geëmmer houden we niet zo, moet ik bekennen, van gelik aan kutjes evenmin, we beginnen het pas leuk te vinden als er dildo's in kutten verdwijnen of als er een lul in en uit een kut beweegt of als, het allerleukst, een mooie vrouw een penis in haar mond heeft of voor haar gezicht houdt. En ja hoor, dat vervelende gewissel tussen Filmnet en Eurosport heeft natuurlijk weer tot gevolg dat De Ejaculatie bijna altijd valt in de tijd dat we bij Eurosport moeten kijken hoe een golfspeler een balletje in een gaatje slaat. Vaak zit het er op Filmnet al aan te komen, dan pijpt zo'n vrouw zo'n penis als een bezetene, dan zie je die penis nóg stijver worden, en net als je denkt:

die gaat schieten! springt het beeld over naar een motorcoureur of een speerwerper. Als je geluk hebt zie je dan veertig seconden later nog net hoe een aanmerkelijk slappere lul boven een vrouw hangt uit te druipen, terwijl de vrouw het sperma nog even lekker geil over haar borsten smeert. Als je geluk hebt, want vaak begint meteen na het klaarkomen de volgende scène en moet je weer een half uurtje kijken hoe een of andere make-upmevrouw tussen haar vingers een tepel ligt te strelen, of andere geestdodende *Libelle*-erotiek.

Ons dakterras kijkt uit op een groot deel van het centrum van de stad die op haar beurt het centrum van het meest welvarende land ter wereld is. Ik zit nog steeds wijdbeens en solipsistisch beschouwd is mijn geslachtsdeel nu het middelpunt van het universum, een gevoel waarvan ik een warme, trotse onderbuik krijg.

Vierentwintig uitverkorenen hebben in mijn universum mogen verkeren, bedenk ik me, terwijl ik met mijn middelvinger zachtjes (BIJNA ONMERKBAAR) mijn geslacht beroer. Dat het er vierentwintig zijn heb ik nauwgezet bijgehouden (wel geen kilometers, maar toch al gauw een slordige drieënhalve meter!). Mijn vriendinnen houden ook bij met hoe veel jongens ze naar bed zijn geweest, en hoewel het geen verbeten wedstrijd is: er is wel degelijk competitie. Ik ben geen koploopster onder mijn vriendinnnen, doch ik speel ook niet in de lagere regionen van het klassement. Noem ons gefrustreerd, maar in dit soort terminologieën praten we dus als het om jongens gaat. Gelukkig gaan we nog niet zo ver als Jérômè, want die is pas echt gefrustreerd. Hij heeft bijvoorbeeld een speciaal DBASE-programma geschreven om zijn seksuele activiteiten in kaart te brengen. Zo houdt hij *files* bij van iedere afzonderlijke *lover* (maten, hoeveelheden, prestaties, geluidsniveau, eigenaardigheden) en kan hij allemaal grafieken laten uitdraaien met week-, maand- en jaargemiddelden, overall-totalen, knikderivaties, doorsneelengtes, piekperioden, trends, tegen elkaar afgezette curves van verschillende seksuele handelingen, en verscheidene toekomstprognoses. Hij is d'r behoorlijk druk mee, hoewel hij zolang hij achter z'n computer zit natuurlijk geen enge ziektes oploopt, moeten we maar denken.

Ik besluit de zonnestoel weer in de ligstand te zetten. Langzaam laat ik me achteroverzakken op het gloeiende rugkussen. Een siddering trekt door m'n lichaam. De zonnebril zet ik af en ik doe mijn ogen dicht. M'n rechterhand laat ik liggen tussen mijn benen. Ik kan niet stoppen met denken aan de vierentwintig jongens met wie ik naar bed ben geweest. Dat komt omdat ik zo vol van ze ben. Van alle vierentwintig.

Het klinkt een beetje raar, dat geef ik toe, en zelfs behoorlijk ongeloofwaardig, maar ik heb onlangs een van de gaafste dingen gedaan die ik me kan voorstellen en die ik ooit heb uitgevoerd: voor mijn eenentwintigste verjaardag heb ik mezelf getrakteerd op een groot feest met een zeer geheime attractie die alleen door mij te begrijpen was.

Het verhaal van mijn feest.

In de weken voor mijn verjaardag besloot ik deze mijlpaal in mijn leven niet in bange afwachting te laten passeren, maar luister bij te zetten met Iets Zeer Speciaals En Onvergetelijks. Het was al een tijdje mijn plan om een groot feest te geven, toen ik kort na elkaar gebeld werd door een Spaans en een Amerikaans vakantievriendje, die toevallig allebei in Nederland bleken te zijn. Ik nodigde hen beiden uit voor mijn feest, waarop ik plotseling een lumineuze ingeving kreeg: niet alleen die twee vakantievriendjes zou ik uitnodigen, maar alle jongens die ik in mijn leven heb gehad! De vierentwintig gozers met wie ik naar bed ben geweest bij elkaar in één ruimte, op één feest, zonder dat ze dit van elkaar wisten: dat was nog eens een perverse en unieke sensatie. Jömig!

Onmiddellijk belde ik mijn pa, die weer eens heel druk was en eigenlijk geen tijd had omdat hij vijf pensioenbreuken heeft en daarom honderdachtendertig commissariaten en per dag vijf middagdiners. Ik zei uitgelaten maar beslist dat ik heel veel geld nodig had voor The Event Of The Year. Toen Mijn Vader De Krent hoorde dat ik geld wilde hebben, vond hij het nodig een beetje moeilijk te doen, waarop ik maar wat strategisch begon te grienen omdat ik nooit eens een beetje mocht uitpakken met een leuk feestje en omdat ik tenslotte maar één keer eenentwintig werd en omdat ik al in geen jaren behoorlijk mijn verjaardag had gevierd (wat overigens niet waar is, maar weet hij veel) en omdat mijn gevoelloze vader voor iedereen altijd alles overheeft, behalve voor mij. Mijn inzet was vijfduizend gulden, die ik al in anderhalve minuut te pakken had, want mijn vader had haast. Na m'n pa was m'n ma aan de beurt, die ik voor nog eens tweeduizend wist te strikken, onder de voorwaarde dat ik er een roze-champagnefeest van zou maken. Tuurlijk mams, doen we niet moeilijk over. Mijn moeder zit op het ogenblik in haar roze-champagneperiode en wie ben ik om haar te bruuskeren? Van mijn oma verwachtte ik eerlijk gezegd nog het minst, maar zij begon voor de verandering zowaar een keer niet te zeiken en lapte me nog eens duizend gulden. So far so good. Achtduizend piek, het feest kon beginnen.

Plotseling merk ik dat in de kantoren aan de overkant iemand (mannelijk, streepjesoverhemd) me staat te begluren. Hèhè, het duurde even, maar nu is het dan eindelijk gelukt. Achter mijn zonnebril doe ik alsof ik niets doorheb. Rustig blijf ik met mijn benen gespreid liggen. Zoals je bier en koffie moet leren drinken, moet je ook leren om open en bloot met je handen in je schaamstreek te liggen en je van niemand wat aan te trekken. Mijn haar gooi ik los en ik sluit mijn ogen. Ik denk aan Jérômè, die mij een 'eclectisch seksdier' noemt, hoewel ik niet weet waarom, want hij wil het me niet uitleggen. Nee, *hij* heeft een lekker bekkie.

Jérômè is een leuke jongen, qua jongen bedoel ik, maar soms vind ik hem wat moeilijk te volgen. Ik heb even in dubio gestaan of ik hem van mijn geheime feestplan moest vertellen of niet, maar ik durfde het niet aan. Zelf ben ik zo iemand die de meest intieme geheimen van anderen zo snel mogelijk doorroddelt, dus waarom zou ik verwachten dat iemand mijn gewroet in het verborgene voor zich houdt. Ik bedoel: als Jérômè een feest zou geven met in het geheim alle jongens die hij ooit 'in de holster van zijn lul heeft gekerfd' zou ik me in hoge mate bezwaard voelen als hij me dit toevertrouwde. Ik hield me dus in, hoe veel moeite me dat ook kostte. Toch was ik er tevreden over dat ik eens iets niet aan Jérômè vertelde.

Mijn plan bleek moeilijker ten uitvoer te brengen

dan ik had gedacht. Aanvankelijk ging ik voortvarend en goedgemutst aan de slag, zoals je in films en televisieseries ook altijd blokjes hebt waarin de hoofdpersonen onder het genot van een muziekje in drie minuten iets bereiken waar een normaal mens zijn hele leven over zou doen. Ik maakte een lijst van de vierentwintig jongens en in oude agenda's en notitieblokjes zocht ik naar adressen en telefoonnummers. Na een week had ik voor vermoedelijk meer dan achtduizend gulden gebeld en nog had ik niet alle gozers kunnen traceren. Hoewel ik veel geluk had (er waren toevallig net drie jongens over uit het buitenland, één jongen zou de week na mijn verjaardag emigreren) resteerden er drie one-nightstands en één Belgische vakantievriend die ik maar niet kon achterhalen. Wat een geluk dat ik alleen de jongens wilde uitnodigen met wie ik daadwerkelijk had geneukt, en niet ook de jongens die ik alleen had gepijpt of afgetrokken... (Sorry, dit klinkt wel erg stoer...)

Ook bleek het verdraaid lastig sommige jongens, als ik ze eenmaal gevonden had, te overreden naar mijn feest te komen. Enkelen hadden een vriendin, één was er al getrouwd, één bleek homoseksjuweel, en drie prutlippen wisten zich zelfs niet meer zo goed te herinneren wie ik was. Gelukkig maar dat ik over de telefoon net zo'n leuk en verleidelijk meisje ben als in het echt, want uiteindelijk lukte het me alle opgespoorden naar mijn feest te praten. Toch voelde ik me al met al net de campagneleider van een Amerikaanse presidentskandidaat die gezworen heeft dat hij een *landslide* zal halen, maar in sommige belangrijke staten nog ver van de overwinning zit.

Jérômè begon door te krijgen dat ik met iets belangrijks bezig was. Eerst verhoorde hij me zo'n beetje zesendertig uur onafgebroken; toen hij echter doorhad dat ik hem echt niet meer ging vertellen dan dat ik een groot feest ging geven, vroeg hij of hij nog iets kon doen. Jérômè is zo'n typische regelnicht die pas leeft als hij een activiteit mee mag helpen organiseren, zo iemand die zichzelf meteen na zijn bevalling tot ceremoniemeester bombardeerde om het kraambezoek een beetje te vermaken. Ik was blij dat hij meedeed, want hij was fantastisch. Hij leende het atelier van een kunstzinnig ex-vriendje van me als feestruimte, contracteerde een Zweedse dj, regelde een uitsmijter en ander personeel, huurde een lichtshow, versierde honderden voornamelijk roze decorstukken (waaronder een art-decondoomautomaat), ritselde een windmachine, zorgde voor de catering, ontwierp de uitnodigingen, en sloeg een behoorlijke hoeveelheid oppeppende dan wel geestliftende poeders en pilletjes in.

Ik was erg te spreken over zijn inventiviteit en daadkracht, en ik deelde hem dan ook mee dat ik hem genereus ging bedanken voor al het werk dat hij verzette.

'Ik verkleed me als een kontjongetje met een snorretje, net als Kim Basinger in *91/2 weeks*, en dan zul je nog eens wat beleven,' zei ik op de vooravond van het feest, toen bijna alles was geregeld en ik drieëntwintig van de vierentwintig jongens had weten te bereiken. De laatste jongens hadden me nog de meeste moeite gekost. Mijn Belgische vakantievriendje Ugo wist ik uiteindelijk op te sporen via een of ander Vlaams Bureau Voor Verlopen Gelopen Personen, de rest vond ik met heel veel geluk en toeval. Ik bedacht me dat het handiger geweest zou zijn als ik een feest zou geven met alleen de jongens die me anaal hadden genomen, want dan had ik lang niet zo veel zoekwerk gehad.

Jérômè zei het heel erg op prijs te stellen dat ik me als dank voor hem wilde verkleden. Toen we later aan de vooravond van mijn feest uit pure nervositeit heel erg dronken werden van alvast wat flessen roze champagne, vroeg hij me of hij in zo'n geval ook achterom mocht komen. Schrik niet hoor, over dat soort dingen hebben Jérômè en ik het de hele tijd. Ik zei naar waarheid dat ik nog nooit iemand achterom had laten komen, wat Jérômè eerst niet geloofde en vervolgens ging zitten beweeklagen.

'Kindje, wat vreselijk voor je,' riep hij almaar, waarna we nog een hele discussie kregen over het faecinerende onderwerp kontneuken. Ik zei: 'Ooit heeft een van mijn vriendjes eens geprobeerd me met behulp van een pakje bakmargarine anaal te ontmaagden, maar dit mislukte volkomen. Ik weet het niet, het lijkt me zo zielig voor de lul om zich in zo'n strak vies gat te moeten persen. En dat mannen elkaar in hun reet naaien begrijp ik al helemaal niet. Mannen hebben toch allemaal haar op hun aars? Je moet er toch niet aan denken dat de ene man zijn dikke lul bij de ander naar binnen wil drukken terwijl juist op het moment bij de ander een van de kontharen vastgeplakt zit in een stukje niet goed afgeveegde bil. Dan kan die haar namelijk aan twee kanten van de anus muurvast zitten en scherp zijn als een scheermes. Als het spuigaatje van die ene man z'n eikel per ongeluk net die strakke haar insnoert, dan zijn de gevolgen toch niet te overzien, dat begrijp je toch zelf ook wel? Nee, zo'n risico zou ik een jongen niet willen laten nemen. Je moet iemand tegen zichzelf in bescherming nemen, vind ik.'

Jérômè schudde zijn hoofd.

'Kindje,' kon hij in dit stadium alleen nog maar antwoorden, 'wat vreselijk voor je.'

De warme zon op je openstaande kut voelen is een bijzonder aangename sensatie die jongens jammer genoeg nooit zullen kennen. Als ik mijn ogen opendoe zie ik dat de rukker aan de overkant verdwenen is. Niets weerhoudt mij er nog van om de bewegingen van mijn rechterhand wat op te voeren. Mijn middelvinger is een goede vriendin van me, daar schaam ik me dus niet voor. Ik geef toe: er is eigenlijk maar weinig waarvoor ik me schaam. Ik ben zo iemand die als zij moet kiezen tussen smerig of fatsoenlijk, kiest voor smerig. En als ik gêne voel is dat meestal voor anderen. Voor de weinige gasten op mijn feest bijvoorbeeld die op geen enkele wijze kenbaar maakten dat ze het thema ('The Pink Party') hadden begrepen en gewoon waren gekomen in hun lullige uitgaanskleertjes of zogenaamde feestjurken.

Maar goed, je kunt niet alles hebben. Op de dag van mijn feest zat ik trouwens met een probleempje dat mijn humeur aanvankelijk danig verpestte: ik had slechts drieëntwintig jongens gevonden en ik miste er nog één. Niet dat het zo'n wereldgozer was, maar voor de volledigheid móést hij natuurlijk ook komen. Anders was alles voor niets geweest. Om precies te zijn: ik herinnerde me de jongen als een iel mannetje (met hele smalle schoudertjes, een schaapachtig lachje, de verkeerde kleren en een christelijke uitstraling), dat een paar jaar geleden om mij onbekende redenen bij me in bed belandde na een moedeloosmakende borrel die ik het liefst wil vergeten. Opvallend aan hem was dat hij zelfs beschaafd *klaarkwam*, een beetje zoals in mijn verbeelding nette Gooise dames scheetjes laten tijdens de afwas. Later heeft hij me nog een stuk of vijftig keer gebeld, want het drong niet tot hem door dat ik hem niet zag zitten. Omdat de jongen de weinig voorkomende achternaam Giphart heeft, ben ik de ochtend van m'n feest ten einde raad lukraak alle Gipharten van Nederland gaan bellen. Ik wilde de moed al opgeven toen ik zegmaar als allerlaatste plotseling zijn tante aan de telefoon kreeg. Jömig, wat werd ik daar nat van! Van haar kreeg ik zijn felbegeerde geheime nummer, waarna ik hem onmiddellijk belde. De prutlip begon te sputteren toen hij merkte met wie hij sprak, en al helemaal toen ik hem meedeelde dat hij die avond naar mijn feest kwam. Hij moest andere dingen doen, zei hij stotterend, ik had hem al genoeg pijn gedaan. Hij vroeg waarom ik überhaupt wilde dat hij kwam.

'Begrijp je dat dan niet?' zei ik zachtjes, 'omdat ik je vannacht wil hebben, jongen. Ik heb al die tijd naar je verlangd.'

Op de dag van mijn feest leverde Lucienne, mijn exvriendje en de kunstegraaf van wie ik het atelier leende, zijn ruimte godzijdank schoon op, waarna Jérômè zich met de feestinrichting bezighield. De reden dat ik Luciennes zaaltje erg zag zitten was de aanpalende kamer die ik goed kon gebruiken als opslagruimte.

Het feest begon. Mijn moeder, die de uren voordat ze met een taxi werd afgevoerd nog enigszins bewust meemaakte, noemde me het stralende middelpunt. Ze had gelijk. Het was een van die dagen dat je weet dat je onsterfelijk bent. Ik was gekleed in een witsatijnen vest en een roze rokkostuum met wijde pijpen: weergaloos, onbenoembaar, vleugelvoetig, meisjesmacho.

Ik ben zo iemand die op partijtjes immer pas op het eind verschijnt, maar een existentiële hekel heeft aan iedereen die het waagt op mijn feesten te laat te komen. De kneusjes komen altijd het eerst, weet iedereen, en dat was op mijn feest niet anders. Tussen de vele vroege gasten druppelden ook redelijk wat oud-minnaars binnen. De eerste was Marc Breukelmans, een goddelijke, gespierde atleet, die als enige nadeel heeft dat iedereen die met hem praat onmiddellijk in slaap valt. Ik ging met hem in de tijd dat ik nog dacht dat jongens die niets te zeggen hebben eigenlijk best iets te zeggen hebben als je maar goed genoeg luistert. Mijn god, wat ik naar die jongen geluisterd heb, tot ik er hersendood bij neerviel. Toen ik onze relatie na een paar weken van pure verveling beëindigde, knikte Breukelmans eerst langdurig en daarna begon hij heel aandoenlijk zachtjes te huilen. 'We hadden het toch hartstikke goed samen,' snotterde hij, wat hij echt meende, geloof ik. Ook qua seks was hij een hartstikke kneus. Plato zegt dat het Mooie een manifestatie is van het Goede, maar ik zou dat graag willen tegenspreken. Ik heb in bed genoeg wondermooie mannenlichamen meegemaakt die er seksueel gezien niets goeds van bakten, meneer Plato.

Wie er wel wat van bakte (en zich ook al vroeg op mijn feest naar binnen sleepte) was Pascal, mijn problemenjongetje. Pascal is pas gelukkig als hij zich diep ongelukkig voelt, zo iemand die zich in de Tweede Wereldoorlog zou hebben laten besnijden. Genetisch is hij niet in staat om ergens tevreden over te zijn, maar neuken kon hij erg goed. Ik hou wel van jongens die goed kunnen neuken. Het is een van die fabeltjes dat het er niet toe doet of jongens goed kunnen neuken, als ze maar goed kunnen strelen en zoentjes op je rug tippen. Gelul. Volgens mij is dat bedacht door de mannenbeweging in de jaren zeventig, zo van: democratisering, inkomensnivellering, en dus ook *penisnivellering*. 'Iedereen bij zijn geboorte doctorandus!' en ook 'iedereen een goede minnaar!'. Zo is het ook een fabeltje dat de grootte van de penis er niet toe zou doen. Sorry hoor, maar ik vind een grote lul toch echt prettiger dan een kleine. Ik zeg niet dat een kleintje vervelend is, alleen is de *pleasure reach* van een lange of een dikke groter, simpel. En als ik mezelf even mag tegenspreken: natuurlijk is het ook een fabeltje dat je op grond van een mans lichaamsbouw niet iets over zijn geslachtsdeel zou kunnen zeggen (alsof bij pikken plotseling de gulden snede niet meer zou gelden). Grofweg komt het toch hierop neer dat grote mannen grotere lullen hebben, en dus een grotere genotsreikwijdte. Zo, die zit.

Het eerste dat Pascal tegen me zei was niet gefeliciteerd, maar: 'Ik blijf niet te lang, want ik voel me klote.' Ik stuurde hem naar Jérômè, chef pilletjes, en zei dat ik later met hem zou praten, later. Als je het eenmaal met Pascal over zijn problemen hebt, kun je er namelijk een paar jaar van je leven voor uittrekken.

Wie ook vrij vroeg op het feest was: Jay. Hij droeg een roze glitter circuspak, waarin hij helemaal high binnenstruikelde. Jay heeft me in een ver verleden ooit eens ontmaagd, geloof ik, en daarom vindt hij dat hij er recht op heeft zich zo af en toe met me te diverteren. We hebben twee jaar iets gehad, hij pleegde voortdurend overspel nota bene, maar nu vindt hij het lullig dat ik hem niet terugwil. In het openbaar doet Jay altijd of ik nog steeds zijn vriendin ben, ook op mijn feestje gedroeg hij zich alsof hij het zo'n beetje georganiseerd had. Je moest eens weten, vriend, dacht ik.

Jömig, ik lig mezelf hier op mijn dakterras in de zon gewoon ordinair te vingeren. Aan de overkant is iedereen voor de ramen verdwenen, er vliegen geen helikopters over: niemand kan me zien.

Het voordeel van jezelf vingeren is dat je precies weet waar je moet zijn. Mijn clitoris is een behoorlijk ingewikkeld fuifnummer, al zeg ik het zelf. Kijk, jongens hebben tenminste nog een eikel, dat is overzichtelijk, daar hoef je niet naar te zoeken. Een beetje eikel presenteert zich zo wel, wat bloed derwaarts, en plop: 'Hallo, hier ben ik! Pak me maar beet! Neem me maar tussen je snijtanden!' Nee, dan de kittelaar. Dat is andere koek. Natuurlijk, ongetwijfeld zijn er sommige lekker fors gebouwde pepernoten die goed in het oog springen, de mini-eikels, de *no nonsense*-kittelaars. Daar behoort mijn liefdeskrent niet toe. Mijn clitoris openbaart zich op het eerste gezicht helemaal niet, maar ligt verscholen tussen tientallen andere roodglanzende vleesvlokken. Van die fopbolletjes waar een gemiddelde jongensstakker eerst heel onversaagd tientallen minuten aan zuigt, tot hij erachter komt dat hij misschien toch voor spek en bonen ligt te lurken. Dan vraagt hij maar eens (lekker zwoel, maar dat komt omdat hij – eigenlijk heel onbeschoft – z'n mond vol heeft): 'Hé, is het lekker?'

En ik: 'Jah hoor.'

En hij (twijfelend): 'Ehm, zit ik op het goede plekje?'

En ik weer: 'Nee, dat ligt iets hoger.'

Gevolgd door het geniepige: 'Maar dit is ook fijn, hoor.'

Helemaal zielig vind ik het als zo'n jongen eindelijk mijn clitoris gelokaliseerd heeft, er noest mee in de weer gaat en het koleireding dan *kwijtraakt*. Het gebeurt! Dan ligt hij bijvoorbeeld als een bezetene te likken (sommige jongens hebben een absurde geldingsdrang als het om cunnilingus gaat), gaat zijn tong als een drilboor op en neer, voelt hij hoe bij mij de spanning toeneemt, voelt hij de spieren in mijn bovenbenen harder worden, begin ik steeds harder te kreunen en te zuchten, schroeft hij de trilcoëfficiënt van zijn tong nog wat op, en plotseling: FLOEPS! Weg kittelaar! 'Waarzittie? Waarzittie?' voel ik zo'n jongen zich dan wanhopig afvragen, waarna hij zenuwachtig op zoek gaat en tegelijk hoort dat ik minder kreun, ja zelfs geïrriteerd begin te zuchten. 'O Heer, laat me niet in de steek, hier met die bobbel,' smeekt hij vervolgens onhoorbaar, maar hij vindt het plekje niet meer terug. Nergens... Verdwenen... Weggezakt... Volkomen ten einde raad begint hij dan maar van die hele grote halen te maken, van die natte hondelikken, in de hoop dat hij mijn kittelaar op die manier meeberoert, maar ja, ben ik natuurlijk net weer zo iemand die op haar hoogtepunt nu juist behoefte heeft aan een spijkerharde stimulatie van louter één klein gedetailleerd plekje op mijn clitoris, ergens ten zuidwesten van het midden, vierenvijftig graden westerlengte. Nee, het valt niet mee om mijn minnaar te zijn, verzucht ik wel eens – niet dat het wat uitmaakt.

Ik besluit me te vingeren met mijn linkerhand (dan is het net of een jongen het doet), en ik denk weer aan mijn feest.

Toen er redelijk wat mensen waren en ook al redelijk wat minnaars, kwam ik een beetje in dubio te staan. Moest ik wachten, of zou ik dan tijd verliezen? Inmiddels draaide de Zweedse dj in het dansgedeelte zijn houseplaten en begon iedereen al zo'n beetje stoned, high, cool, in trance, opgefokt, dronken of gelukkig te raken. Ik besloot te wachten tot het nog drukker zou zijn. Met twee flessen roze champagne banjerde ik door het hele feestatelier om overal glazen bij te schenken. Inmiddels kwamen, naast de vele argeloze gasten, mijn vakantievriendjes opdagen, bijna al mijn losse scharrels, en mijn *twentyseven-night stand*, zoals ik Wil-Jo altijd noem. Met Wil-Jo (z'n vader heette Wil en z'n moeder heette Jo) (of andersom) heb ik op een erg geregelde basis geen relatie gehad. Cum laude afgestudeerd bioloog, theaterwetenschapper en anglist, op een volstrekt serieuze manier volslagen gek: hij paste helemaal niet bij me. Maar daarom juist weer wel, vond ik. Wil-Jo vond van niet. Hij zei na iedere keer dat we het gedaan hadden: 'Dit hadden we niet moeten doen,' waarna we het meestal binnen vijf minuten nog een keer deden.

'Ik ben erg benieuwd waarom je mij hebt uitgenodigd,' zei hij geheimzinnig, toen ik hem bij een soort palmboom champagne inschonk (en overigens zag hoe Pascal zijn tijd aangenaam doorkwam door aan dezelfde palmboom te vertellen hoe rot hij zich voelde).

Om half twee begon het hoogtepunt te naderen. Het werd zaak op te schieten, voor er mensen weg zouden gaan of te geïntoxiceerd zouden raken door alcohol of andere giffen. Nu al was het feest uiterst geslaagd, er waren zeker honderdvijftig hossende, zuipende, schreeuwende, snuivende en vretende mensen.

Geen van mijn alerte vrienden of vriendinnen had door (althans niemand liet merken iets door te hebben) dat er inmiddels drieëntwintig van mijn oud-vriendjes aanwezig waren. Drieëntwintig? Ja, drieëntwintig, want die verrekte Giphart was er nog niet! Terwijl ik veelvuldig toegeschreeuwd werd dat het zo'n fantastische fuif was, belde ik hem met de draadloze telefoon van mijn rijke oud-minnaar Boris. Slaperig nam de prutlip op.

'Waar blijf je nou?' brulde ik (oorverdovend, maar toch zo zwoel mogelijk om hem niet te ontmoedigen).

'Wil je dan echt dat ik kom?' vroeg hij verbaasd.

Het duurde bijna eeuwig, maar een half uur later verscheen hij, eindelijk.

Eindelijk! Ik ontving hem opgetogen, posteerde hem met een glaasje champagne bij het pornovideoscherm en liep uitgelaten naar de ingang. Terwijl ik daar het feest overzag, werd ik zowaar geëmotioneerd. Het cadeautje dat ik mezelf wilde geven was gelukt! Mijn vierentwintig mannen had ik bij elkaar! Welke vrouw heeft ooit alle mannen die ze gehad heeft bij elkaar gebracht? Ik dus! Ik wel dus! Ik was trots op mezelf. Mijn vierentwintig jongens. Een ware *landslide*. Tijd voor de toegift!

Zie je, aan de overkant staat er weer een te gluren. Ik wist het. Met een telelens zou hij zo in mijn geslachtsdeel kunnen kijken. Mooi zo, van mij mag hij me bespieden. Misschien windt het hem op, misschien heeft hij een gat in zijn broekzak en kietelt hij zijn kloten. Ga terug naar je bureau, viezerik, dan zal ik je onder tafel komen pijpen. Hoe langer ik hier lig in de zon, hoe zwaarder ik begin te ademen, hoe meer ik zweet.

Gluurder in de verte of niet: ik ben voorbij het point of no return. Weer sluit ik mijn ogen.

Het was een ontzettend *goed* feest, al zeg ik het zelf, en dat vind ik niet alleen omdat iedereen prettig dronken, lekker high of vrolijk speedy was. Er heerste een uitgelaten stemming, er zat iets aan te komen. Laten we zeggen dat het kwam door de entourage, de catering, de sushi's, het decor, het opgeruimde gevrij op de beeldschermen, de goede zorgen van Jérômè. Er hing simpelweg seks in de lucht, iedereen wist het, het was onvermijdelijk. Hier en daar vergrepen zich zelfs al mensen aan elkaar.

Zo swingend verliep dit feest dat niemand iets zou merken als er zich even wat mensen zouden terugtrekken, was mijn inschatting. Het was zaak snel en doelgericht te handelen. Ik had een paar opties en ik besloot voor de meest spectaculaire. Zo snel mogelijk en zonder al te veel ophef te maken dirigeerde ik al mijn voormalige minnaars naar de aanpalende ruimte naast het atelier. Als ze het niet begrepen zei ik dat ik ze even apart wilde spreken. Sommigen waren erg verbaasd, maar de meesten lieten zich gewillig meeslijmen. Er waren er een paar van wie de vriendin of de aanhang een beetje tegensputterde, maar gelukkig ben ik een erg overredend meisje.

Na een stieve tien minuten zaten er vierentwintig jongens op me te wachten in een kamer zo groot als een klaslokaal. Jömig. Het grote moment, waarop ik zo lang had gewacht en waarover ik zo veel had gefantaseerd. Er heerste een gespannen stilte in de kamer. We konden het feestgedruis goed horen, de gesmoorde beat, het gegil, het gestamp en het geluid van een kapotvallend glas. Niemand buiten het lokaal leek iets door te hebben.

'Zo,' zei ik, terwijl ik achter mij de deur van de kamer op slot deed. Achtenveertig ogen keken me verbaasd aan. Ja, ik deed de kamer op slot, dat hadden ze goed gezien. Soms moet een meisje doen wat een meisje moet doen.

'Zo,' zei ik nog een keer, 'jullie zullen wel denken.'

Nogmaals (even, hoor): ik zag er dus echt weergaloos mooi uit. Een flinke jongen die mij zonder volle bewondering zou kunnen bekijken. Ze waren dan ook allemaal erg aandachtig.

'Ik zal er niet omheen draaien,' ging ik verder, 'jullie kennen mij allemaal en hebben ieder een speciale band met me. Dat hoef ik jullie niet te vertellen. Het is daarom dat jullie, zonder dat jullie het weten, behoren tot een geheim, erg bijzonder elitecorps: het genootschap van jongens die mij hebben gehad, die met mij naar bed zijn geweest.'

Deze woorden misten hun uitwerking niet. De meesten waren al dermate aangeschoten en in de juiste stemming dat er een overweldigend, zo niet beestachtig gejuich opsteeg. Zoiets hadden ze nog nooit meegemaakt. Zelfs de buitenlandse jongens brulden mee.

'Voor mijn eenentwintigste verjaardag besloot ik mezelf een heel bijzonder cadeau te geven,' vervolgde ik. '*Jullie*. Ik heb mezelf jullie gegeven. En we zijn compleet. Tussen ons heerst een groots verbond, via mij zijn jullie allen zwagers van elkaar. Ik ben het middelpunt.'

Wederom applaudisseerden de jongens hard. Ze konden er de humor van inzien.

'Nu wil ik jullie op een grappige, maffe avond als

deze natuurlijk niet overdonderen met mijn literaire kennis,' zei ik, terwijl ik uiterst langzaam het roze rokkostuumjasje van mijn schouders liet glijden, 'maar mijn lievelingsschrijver Julio Cortázar heeft een prachtig verhaal geschreven: "De zuidelijke autosnelweg".'

Het gezelschap was vol aandacht, al weet ik niet zeker of dat kwam door Cortázar. Ik ging verder: 'Dat verhaal gaat over een mysterieuze file in een streek voor Parijs. Om onbekende redenen staat de file dagen achter elkaar stil. Omdat er maar geen hulp op gang komt, ontstaat er gebrek aan voedsel en water. Verscheidene automobilisten sluiten verbonden om elkaar te helpen, er ontstaan groepen die zich tegen andere groepen verdedigen, en binnen die groepen worden sommigen verliefd op elkaar.'

Nog steeds luisterden alle jongens ademloos, maar dat kwam ook omdat ik inmiddels voorzichtig de knopen van het witsatijnen gilet van mijn rokkostuum begon los te maken. Ik deed dat heel gracieus.

'Dan, na weken, zet de file zich plotseling weer in beweging. Aanvankelijk trekken de verschillende groepen gezamenlijk op, maar al vlug beginnen ze door elkaar heen te rijden. Automobilisten raken elkaar kwijt, geliefden scheuren ongewild in verschillende richtingen, na een tijdje rijdt niemand meer tussen de vertrouwde wagens uit de file.'

Na het laatste knoopje van mijn gilet te hebben opengemaakt voelde ik een frisse tocht op mijn borsten. Ik zag dat anderen dit ook zagen. Ik ging zitten tegen de tafel. Niemand gaf een kik. Beminnelijk bewoog ik mijn benen.

'Volgens mij gaat Cortázars verhaal over behoudzucht, over de wens van iedereen om dat wat men heeft te koesteren. Een wens die nooit uitkomt, want niets blijft hetzelfde en alles moet uiteindelijk worden prijsgegeven. Dat is het tragische van het leven, dat alles gedoemd is te vervliegen, te vervlieden of te vergaan.'

Onder de vierentwintig jongens werd aarzelend geknikt. Ze zagen hoe ik zelfs mijn witsatijnen kostuumvest niet aan kon houden. Het viel waardeloos van me af. Mijn armen bracht ik deugdzaam voor mijn borsten, toen ik met iets zachtere stem zei: 'Nooit meer zullen wij bijvoorbeeld in deze unieke samenstelling bij elkaar zijn, nooit meer. Niemand van ons zal na deze nacht ooit nog in dit geheime verbond verkeren. Wat wij hier meemaken is uniek en onnavolgbaar... Beseffen jullie dat?'

Oprecht schuchterheid veinzend, keek ik om me heen.

Toen ging ik weer rechtop zitten, om zachtjes, zeg maar *teder*, met mijn handen langs mijn broek in de richting van mijn roze rijglaarsjes te bewegen. Het gezelschap keek zwijgend toe hoe ik tergend voorzichtig mijn veters begon los te maken en mijn laarsjes achteloos op de grond schopte. Daarna ging ik weer liggen, ingehouden maar toch uitdagend.

'Er is maar één manier om te zorgen dat we deze nacht echt nooit zullen vergeten,' zei ik, ondertussen mijn duimen onder de elastiekband van mijn broek stekend.

'We moeten uitbuiten wat ons bindt, vinden jullie niet?'

Nadat ik dit gezegd had, liet ik mijn roze broek voorzichtig langs mijn benen glijden. Ik denk dat je erbij geweest moet zijn om te zien hoe mijn woorden inwerkten op de jongens. Ik kan werkelijk een erg overredend en verleidelijk meisje zijn. Onder mijn broek droeg ik dus niets. Naakt lag ik op tafel, in het midden. Langzaam spreidde ik mijn benen.

'Dit is wat ons voor eeuwig bindt, jongens, dit is het middelpunt,' zei ik, mijn handen bij mijn seksje leggend. Vierentwintig jongens keken me verlangend aan.

'Need I say more?'

Een schrijnend gevoel rond mijn vagina, zo langzamerhand. Met de uitgespreide vingers van mijn ene hand hou ik mijn schaamlippen zo ver mogelijk uit elkaar, terwijl ik met de middelvinger van mijn andere hand mijn clitoris cirkel. Hoe opgewondener ik raak, hoe meer seks taal wordt, hoe meer ik louter begin te denken in termen van kut, lul, neuken, stijf, geil, pijpen, penis, beffen, neuken, neuken, neuken, neuken, neuken. Ik ben zo iemand die zinnetjes fluistert ('Je *naait* me. Je pik zit in me. Je bent zo *stijf*. Lik mijn *kut*. Ik voel je *lul* zo goed'), steeds harder, steeds dwingender, ook als ik mezelf beroer, ook als ik alleen in de zon lig. Soms kan het me allemaal niets meer schelen.

Het ging gelukkig snel, gedegen, ja zelfs gesmeerd. Ik lag op die tafel in het midden van die ruimte, en ik graaide om me heen. De jongens wisten niet wat hun overkwam, maar ze schenen er niet mee te zitten! De meesten handelden uit zichzelf en waar ik een nog gesloten broek zag hielp ik een beetje door naar de bobbel in het midden te reiken en er binnen no time weer een stijve penis bij te hebben. Vlug vlug, geen gezeik! geen tegenspraak! *zipp zipp*, ritsen open, *ploink ploink*, knopen los, broek op de knieën en vooruit met de geit:

vierentwintig lullen op een rijtje moest ik hebben. Sommige waren ongeduldig en drongen zich schaamteloos bij me op, maar ik was degene die de touwtjes in handen wilde houden. Uiteraard was er weer één prutlip die zo nodig onder het maaiveld wilde blijven en in een hoekje als een varken begon te krijsen dat hij weg wilde. Blijkbaar had ik de juiste stemming weten te creëren, want hij werd door de andere drieëntwintig jongens gevangen genomen en me trots als een offer aangeboden. Terwijl Giphart (hij weer) door vele armen werd vastgehouden (van de grond getild zelfs) knoopte ik plechtig zijn broek open en had ik hem al vlug stijf in mijn handen, haha. Het vuige misbaksel. Bangig en zachtjes kreunend keek hij me aan. Ondertussen begon de rest van het jongensklasje ongeduldig te raken. Er steeg gegrom op, ik voelde een beestachtig lustverlangen. Daarom maande ik hen afstand te nemen. De spanning moest nog groter worden.

'Even wáchten,' zei ik, waarna ik weer languit ging liggen op de tafel. Mijn haar gooide ik los en ik sloot mijn ogen.

'Kijk naar me...' gebood ik. '*Look at me*.'

Met mijn handen streelde ik langzaam mijn lichaam. Eerst aaide ik met één hand m'n hals, terwijl de andere zachtjes kneep in mijn borsten. Daarna drukte ik met beide handen mijn borsten tegen elkaar. Ik balde mijn handen tot duimloze vuisten, waartussen ik mijn tepels kneedde. Mijn nagels trok ik vervolgens via borsten en buik naar mijn bovenbenen en schaamstreek. Wellustig draaide ik mijn bekken en mijn schouders. Mijn rechterhand verdween 'in de voordeur van Venus'.

'Zien jullie het goed?' vroeg ik zacht.

Aan de geluiden te horen, zagen ze het goed. Ze stonden te popelen.

'Luister,' prevelde ik, 'doe alles wat jullie met me willen. Ik ben van jullie, jullie zijn van mij. Laten we ons bezitten. Er is niets waarvoor we ons hoeven te schamen. Verscheur me. Ruk me uit elkaar. Stamp me kapot. Er is echter één ding: ik wil dat jullie je inhouden. Dat is erg belangrijk. *Hold your fire, guys.*'

Ik deed mijn ogen weer open en keek om me heen. Het leger keek me gulzig, bijna wanhopig aan. De meesten hadden hun pik in hun hand om zich getergd af te trekken. Ik wachtte nog heel even. Toen gaf ik het sein voor Echte Polygame Liefde.

Een pik in mijn kut, steeds een andere. De andere pikken om me heen. Eén in mijn mond. Twee in mijn mond. Mijn handen om zoveel mogelijk pikken, graaiend, rukkend, slaand. Het beeld van een eicel waaromheen ontelbare spermatozoïden zich verdringen. Pikken op mijn borst, mijn tieten, mijn tepels. Een pik drukkend op mijn navel. Ik werd genomen, overal, tussen mijn knieholten, tussen mijn oksels, maar vooral in m'n kut, m'n kut, m'n gratekut, o godverdomme. En ook in m'n anus, eindelijk in mijn reet, het ging vanzelf. Welke vrouw heeft dat ooit zo gehad? Neuk me, gore klootzakken, neuk me alles. Als een fakir lag ik te golven op een penisbed. Me wentelend in geslachtsdelen werd ik door de een na de ander bezeten. Ze scheurden me echt uit elkaar. Ik probeerde te voelen wie me neukte en of ik technieken kon onderscheiden of een vertrouwde cadans ontdekte, maar het lukte me niet. Zoals ik werd genaaid, *eclectisch* gewoon. Het mooiste cadeau dat ik me wensen kon. De wereld was lul geworden. Het ging maar door, ze werden harder en harder, mijn pikken. Spieren spanden zich en nog meer bloed stroomde naar eikels en vullichamen en nog almaar werd ik geneukt en geneukt en ik pijpte zo veel ik kon en ik rukte als een waanzinnige en verkrachtende pikken wisselden zich in snel tempo af en we waren één grote neukmachine en toen voelde ik het komen, eindelijk, het ging komen, ik liet teugels vieren, ik stopte met zuigen, haalde lullen uit mijn kut en kont en riep: 'We gaan! We gaan, jongens. Ga! GA!', waar ze allemaal godverdomme op hadden gewacht, want het leek wel een implosie: onder oorverdovende oerkreten werd ik van alle kanten beschoten, ik kreeg perfect gelijktijdig uit vierentwintig hoeken een lading zaad over me uitgestort, weldadig zaad, vies vlokkerig jongenszaad, mijn zaad, ik baadde erin, smeerde het onmiddellijk uit over mijn hele lichaam, waarna ik zelf ging... Jömig!

Brullend. Als ik niet zo verdoofd zou zijn had ik mijn enorme geschreeuw zeker tegen de flatgebouwen aan de overkant horen weerkaatsen. Heftig schokkend lig ik uit te hijgen. De wind waait nog steeds zacht over mijn naakte lichaam. Mijn bevredigde gekreun neemt nauwelijks af.

Aan de overkant stijgt er plotseling applaus op, en niet zo'n beetje ook. Als ik verbaasd mijn ogen open doe en me opricht, zie ik dat op alle verdiepingen van het kantoor mannen me fluitend en klappend bedanken. Sommigen staan te juichen, anderen zwaaien me toe. Het is een uitgelaten bende.

Voordat ik beschaamd mijn dakterras ontvlucht,

bekijk ik de mannen voor het laatst. Ze zijn te ver weg om ze te tellen.

Verantwoording

'Het feest der liefde' verscheen vorig jaar tijdens de introductie van Amsterdamse nuldejaarsstudenten, als cadeauboekje van Athenaeum Boekhandel. Het verhaal is opgedragen aan Rob van Erkelens.

'De vinger aan de pols' werd eerder gepubliceerd in *Man*, in de serie De Vertelde Foto.

'Vrijnacht' stond in de *Literaire agenda 1994* (Kwadraat).

'De wereld van de dingen die we niet hebben gedaan' was een verhaal in *Playboy*.

'Domecq oblige' werd geschreven in opdracht van de drankenimporteur Hiram Walker Benelux en verscheen in een iets andere versie in *Vrij reizen* (La Rivière & Voorhoeve, 1994).

'De veiligste plek op aarde' stond in het literaire tijdschrift *Rossinant*.

'De invasie van Amerika' was een bijdrage aan het eerste nummer van het voetbalblad voor lezers *Hard gras* (Veen, 1994), welk blad mijn reis naar Amerika financierde.

'De dag dat ik een verhaal wilde schrijven over het voetbalverleden van mijn vader en mijn vader dat heel flink zelf al had gedaan' stond in het tweede nummer van *Hard gras* (Veen, 1994).

'Ich bin eine holländische Schriftstellerin!' was een artikel in *Het Parool*. Het slot heb ik drastisch veranderd.

‘Lol’, ‘Schrijfnijd’ en ‘Het Protocol van Heilig Ontzag’ waren columns in het literair-wetenschappelijke tijdschrift *Vooys*.

‘Welwelwelwel, T. van Deel goes meer verhalend’ stond in *Propria Cures*.

‘Nice guys don’t get laid’ staat in *De daad* (Arena, 1995).

‘Heblust’ staat in *De zeven hoofdzonden* (Prometheus, 1995).

Waarschijnlijk heb ik in enkele verhalen plagiaat gepleegd.

Mijn dank gaat uit naar Ed van Eeden en Bert Natter, voor hun steun en advies.

R.G.

Rainbow Pocketboeken

430 *1001 nacht Liefdeslessen*
278 *Legendarische Bijbelverhalen*
436 *De mooiste treinreizen van de wereld* **Michael Palin e.a.**
419 *Oud geluk* **Plato, Vergilius e.a.**
382 *Vrouwen op reis* **E. Annie Proulx e.a.**
332 **Pearl Abraham** *Vreugde der wet*
338 **Diane Ackerman** *Reis door het rijk der zinnen*
277 **Aman** *Het verhaal van een Somalisch meisje*
381 **Anne Bancroft** *Vrouwen op zoek naar het spirituele*
157 **Elisabeth Barillé** *Anaïs Nin*
147 **Elisabeth Barillé** *De kleur van woede*
113 **Elisabeth Barillé** *Lijfelijkheid*
439 **John Berendt** *Middernacht in de tuin van goed en kwaad*
13 **Marion Bloem** *Geen gewoon Indisch meisje*
391 **Dirk Bogarde** *Jericho*
371 **Hafid Bouazza** *De voeten van Abdullah*
420 **John Brockman & Katinka Matson** *Simpele feiten*
424 **Adrienne Burgess** *Het vaderinstinct*
175 **A.S. Byatt** *Obsessie*
238 **Jane Campion** *De piano*
303 **Louis-Ferdinand Céline** *Dood op krediet*
380 **Julie Chimes** *Verdwaald in het paradijs*
181 **John Cleese en Robin Skynner** *Hoe overleef ik mijn familie*
387 **Maryse Condé** *Kolonie de nieuwe wereld*
374 **Douglas Coupland** *Vriendin in coma*
418 **Roald Dahl** *M'n liefje, m'n duifje*
363 **Roald Dahl** *Oom Oswald*
306 **Dalai Lama** *De kracht van het mededogen*
403 **Dalai Lama** *Vriendelijkheid en helder inzicht*
400 **Edwidge Danticat** *Adem, ogen, herinnering*
384 **Robyn Davidson** *Onder nomaden in India*
334 **Robyn Davidson** *Sporen in de woestijn*
444 **Rudi van Dantzig** *Noerejev Het spoor van een komeet*
435 **Josie Dew** *De wind in mijn wielen*
369 **Adriaan van Dis** *Indische duinen*
414 **Adriaan van Dis** *Zilver*
56 **Florinda Donner** *Shabono*
399 **F.M. Dostojewski** *Boze geesten*
324 **F.M. Dostojewski** *Misdaad en straf*
432 **Heleen Dupuis** *Wat is goed voor een mens*
389 **Jennifer Egan** *Het onzichtbare circus*

299 **Lieve Joris** *Terug naar Kongo*
393 **Michael Kahn** *De Tao van het gesprek*
406 **Kamagurka** *Broodje Bert*
342 **Herman Koch** *Red ons, Maria Montanelli*
410 **Dirk Ayelt Kooiman** *Montyn*
416 **Rutger Kopland** *Geluk is gevaarlijk*
423 **David Leavitt** *Familiedans*
345 **Dr. Li Zhisui** *Het privé-leven van Mao*
392 **Rosetta Loy** *Chocola bij Hanselmann*
434 **Joris Luyendijk** *Een goede man slaat soms zijn vrouw*
421 **Hector Malot** *Alleen op de wereld*
443 **Javier Marías** *Denk morgen op het slagveld aan mij*
388 **Javier Marías** *Een hart zo blank*
233 **Patricia de Martelaere** *Een verlangen naar ontroostbaarheid*
262 **Carmen Martín Gaite** *Spaanse vrouwen, bewolkte luchten*
411 **Angeles Mastretta** *Mexicaanse tango*
431 **Martha McPhee** *Engelentijd*
219 **Gita Mehta** *Raj*
79 **Eduardo Mendoza** *De stad der wonderen*
231 **Eric M. Moormann & Wilfried Uitterhoeve** *Van Achilleus tot Zeus*
335 **Alberto Moravia** *Romeinse verhalen*
407 **Marcel Möring** *Het grote verlangen*
267 **Marcel Möring** *Mendels erfenis*
385 **Ronald Naar** *Op zoek naar evenwicht*
426 **Nelleke Noordervliet** *Millemorti*
370 **Nelleke Noordervliet** *De naam van de vader*
311 **Nelleke Noordervliet** *Het oog van de engel*
241 **Nelleke Noordervliet** *Tine of De dalen waar het leven woont*
441 **A.S. Poesjkin** *Jewgeni Onegin*
428 **Willem Jan Otten** *Ons mankeert niets*
409 **Pier Paolo Pasolini** *Jongens uit het leven*
308 **M. Scott Peck** *De andere weg*
316 **Leonhard Reinirkens** *De culinaire avonturen van fra Bartolo*
446 **Karel van het Reve** *Uren met Henk Broekhuis*
422 **Philip Roth** *Patrimonium*
361 **Philip Roth** *Sabbaths theater*
78 **Nawal El Saadawi** *De gesluierde Eva*
442 **Nawal El Saadawi** *De onschuld van de duivel*
390 **Nawal El Saadawi** *De zoektocht van Fouada*
237 **Oliver Sacks** *Een been om op te staan*
412 **Oliver Sacks** *Stemmen zien*
383 **Lisa St Aubin de Terán** *Hoeders van het huis*
425 **Lisa St Aubin de Terán** *Een huis in Italië*